엄마, 배우, 현정

엄마, 배우, 현정

박현정 지음

프롤로그

　칠흑같이 어두운 밤, 펑펑 쏟아지는 함박눈이 많은 소리를 덮는다. 우리 집 대문 밖은 조용했고, 심지어 평화로워 보였다. 특별할 것도 없어 보이는 충주 어느 작은 동네의 밤 풍경. 그러나 초록빛 대문을 열고 들어서면 그곳은 또 다른 세상, 폭격처럼 터지는 고함과 울음소리가 난무하는 전쟁터였다. 집 안과 밖의 극명했던 온도 차이. 나의 기억 속엔 아직도 그 생경함이 또렷이 남아있다. 우리 집을 뺀 나머지 세상은 한없이 고요했다. 불안한 듯 겁에 질려 웅크리고 있는 어린아이. 아무것도 할 수 없는 그 상황에 아이는 차가운 눈길을 맨발로 달린다. 그리고는 옆집 대문을 필사적으로 두드린다. 아주 작게 열린 문 틈새로 옆집 아주머니는 안타까운 표정을 지으며 고개만 절레절레 흔들었다. 살려 달라고, 도와 달라고 간절히 애원하는 어린아이를 조용히, 그러나 강한 힘으로 밀어낸다. 힘없는 아이의 절박한 부탁을 쉽게 거절하는 어른들이 그때는 이해가 되지 않았다. 그러나 그것은 쉽게 도움의 손길을 내밀 수 없는, 소위 가정사라고 부르는 문제였다.

학교를 마치고 집에 돌아오면 나는 아직 환한 대낮인데도 이부자리를 폈다. 밤이 되고 어두워지면 또다시 전쟁이 시작될 것이었기 때문에 그 전에 깊은 잠에 들어야 했다. 날이 밝으면 괜찮을 거라고, 해가 뜨면 전쟁은 다 끝나있을 거라고 어린 마음에 그렇게 생각했다.

전쟁 같았던 유년 시절로 인해 나는 화목한 가정에 대한 간절한 바람을 갖게 됐다. 내가 갖지 못했던, 누리지 못했던, 내게는 허락되지 않았던 행복한 가정이 나는 절실했다. 그것은 내 유일한 소원이자 일생의 목표였다. 내가 성실하게 살면 그만큼의 보상과 대가가 따라오는 인생을 살았었고, 결혼 생활 역시 다를 바 없을 거로 생각했다. 내가 아내와 엄마의 역할에만 충실하다면 행복한 결혼 생활이라는 보상과 대가가 자동으로 따를 거라 굳게 믿었다. 그러나 인생은 그리 녹록지 않았다. 아무리 내가 열심히 살아도 방법과 방향이 잘못되면 안 되는

5

게 인생이었다. 그렇게도 바라왔던 나의 결혼 생활이 이혼으로 무너지고 나서야 비로소 그 사실을 깨닫게 되었다.

내 인생은 이제 여기서 끝이라고 생각했다. 누군가는 겨우 그런 일로 힘들어하냐고 말할 수도 있다. 이혼이 요즘 무슨 대수냐고, 무슨 흠이냐고! 그러나 행복한 가정을 이루는 것은 나의 전부였고 삶의 목표였다. 미련하게도 거기에 모든 것을 걸었다. 안될 수도 있고, 실수할 수도 있다는 당연한 생각을 그때는 당연하게 하지 못했다. 인생의 의미와 목표를 잃었기에 나는 그저 힘없이 동굴 속에 쓰러져 울고만 있었다.

동굴 밖 세상에서는 박현정의 이혼 기사가 연일 대포처럼 팡팡 터졌고, 전화기는 쉴 새 없이 울려댔으며 사람들은 내 이혼 얘기를 하기 바빴다. 수군대는 사람들이 미웠고 세상이 두려웠다. 아무 흔적도 없이 먼지처럼, 아주 조용한 바람처럼 그렇게 사라지고만 싶었다.

이제는 다 끝이라고 생각하며 절망 속에서 허우적대던 바로 그때, 저 멀리서 희미하게 보이던 한 점의 밝은 빛이 어두운 동굴 안으로 들어왔다. 그 빛은 순식간에 어둠을 밀어내고 내가 있던 그곳을 환하게 비추었다. 그 빛은 사람의 따뜻한 온기였고, 사랑이었다. 손가락 하나 들어 올릴 힘도 없어 멍하니 누워만 있을 때 밝고 따뜻한 빛은 나에게 먼저 다가와 손을 내밀었고 수많은 갈래 길을 보여주었다. 그 길들은 모두 새로운 시작이었고 새로운 기쁨이었다. 어둠 속에만 있었다면 결코 알지 못했을 그 새로운 시작들이 나를 향해 두 팔을 벌리고 있었다.

굴곡진 반평생의 삶을 살아오면서 이제야 확실히 깨닫고 배운 한 가지는 바로 끝날 때까지는 끝난 게 아니라는 것이다. 우리의 인생은 여러 길의 연속이고, 그 길과 길 사이에는 우리의 선택이 있을 뿐, 끝은 없다. 여태까지 그랬듯이 앞으로도 예상치 못한 문제와 어려움은 계속 우리를 찾아올 것이다. 그러나 그 문제에 대한 해결책과 답 또한 반드시 함께 온다. 현실을 인정하고 받아들이되 잘못된 것은 수정하면서 책임지고 가면 된다. 우리의 인생길은 계속 이어져야 하고 결코 끝날 때까지는 끝이 아니다. 인생을 두 번쯤 살아본 사람도 없고 한번 연습해 보고 사는 사람도 없다. 공평하게도 우리 모두가 인생은 처음이고, 그렇기에 실수하고 넘어지는 것은 당연하다. 이 당연한 사실을 자연스럽게 받아들일 때, 시간이 지날수록 단단하게 성숙해져 가는 자신을 발견하게 될 것이다.

싱글맘으로 두 아이를 돌보며 사는 것은 여전히 어렵고 힘이 드는 일이다. 그러나 내가 지금 독자들과 나누고 싶은 한 가지는 지금, 오늘, 여기에 내가 살아 있다는 사실이 기쁘다는 것이다. 이 소소한 사실에 행복을 누릴 수 있는 새 생명과 새 빛이 나에게 주어졌다는 것이 참으로 감사하다. 나의 이 소박한 책이 독자들에게 위로와 쉼이 되었으면 한다. 치열하게 달려온 사람들에게는 잠시 쉬었다 갈 수 있는 나무 그늘이, 한 방향만 보고 달려온 사람들에게는 조금만 고개를 들어 눈을 올려다볼 때 보이는 눈부시게 빛나는 하늘이, 그리고 혹여나 지금 캄캄한 어둠 가운데서 힘겨워하는 누군가 있다면 그에게 함께 가자고 내미는 손의 따스한 온기가 되길 소망한다.

- 배우 박현정 드림

사랑의 근원

인생에 연습이 없다는 걸

잿더미 속에서
꽃 한 송이가 피기까지

마르지 않는 사랑의 샘

사랑의 근원

81년 충주 호암동의
어느 겨울날

　세상의 모든 소리가 지면에 가라앉은 듯 평소보다 고요한 아침이었다. 방문을 열어보니 역시나 눈이 소복이 쌓여있다. 내가 살던 충주에는 80년대 그 시절, 눈이 그렇게 많이 왔다. 신발을 대충 구겨 신고 눈밭에 발을 디뎌본다. 디딘다는 말보단 담근다는 표현이 더 어울릴 만큼 눈은 무릎 위로 한참 올라왔다. 한 발짝씩 천천히 내딛어보았다. 발밑에서 나는 소리는 마치 세상에 유일하게 살아남은 소리인 양 크고 또렷하게 들렸다. 뽀드득뽀드득. 썰매 타러 가야 하는데 집엔 아무도 없는 걸까.

　본격적으로 놀아보려는 찰나 엄마가 큰 빗자루를

가지고 나와서 내 손에 쥐어주셨다. 하도 눈이 많이 오니까 그때그때 치워야 한단다. 나는 빨리 썰매 타고 싶은 마음에 조바심이 나서 대충 비질을 했다. 곁눈질로 오빠를 힐끔 보니 이심전심인 듯 대충하는 게 티가 났다. 오빠는 어느새 비료 포대를 챙겨서는 내 옆구리를 쿡 찔렀다. 언니는 벌써 저만치 앞서 걸어가고 있다. 우리가 주로 가던 썰매장은 동네 비탈길이나 외할머니집 뒤에 있던 묘지였는데, 겨울만 되면 우리 삼 남매의 메인 스테이지가 되었다. 어찌나 재밌는지 밤이 새도록 탈 수 있을 거 같았다.

어렸을 때 오빠 꽁무니를 졸졸 따라다니며 별의별 놀이를 다 해봤지만 그중 최고는 비료 포대로 타는 썰매였다. 추운지도 모르고 온종일 탔다. 미끄러져 내려올 때의 그 스릴은 여느 놀이기구와 견주어도 손색이 없었다. 코 밑에는 콧물이 허옇게 말라붙고 찬 공기에 손은 빨갛게 부르텄지만 아픈 줄도 몰랐다.

그렇게 깜깜해져서야 집으로 돌아오면 부엌 아궁이에 고구마를 구워 먹었다. 먹을 것이 귀했던 당시에 가장 만만한 간식이 고구마였다. 오빠가 고구마를 동그랗게 잘라서 솥뚜껑 위에 얹어놓으면 우리 삼 남매는 아

17

궁이 앞에 옹기종기 모여 앉아 언 몸을 녹이며 고구마
가 다 익기를 기다렸다. 그럴 때마다 아궁이에 바짝 앉
아있느라 붉게 물들었던 언니와 오빠의 귀엽고 통통한
두 볼이 아직도 생각이 난다.

남한강 초등학교
후문에는

우리 집 대문 앞에는 설탕 과자를 만드는 할머니가
계셨다. 당시 우리 집이 남한강 초등학교 후문 바로 옆
에 있었는데, 학교 정문에서는 장사가 금지되어 있으니
우리 집 앞으로 오신 것이다. 할머니는 눈이 오나 비가
오나 늘 그 앞에 쪼그려 앉아 설탕 과자를 만드셨다. 목
이 좋아 그랬는지 설탕 과자는 잘 팔렸다. 그런데도 할
머니의 행색은 늘 남루했고 어딘가 모르게 안쓰러웠다.
돈을 버시면 새 옷을 하나쯤 사 입으실 만도 한데 늘 똑
같은 옷만 입으시는 게 의아했다. 하루는 학교 수업이
끝나고 여느 때처럼 집으로 가는 길이었는데, 머리끝부

터 발끝까지 온통 하얗게 치장한 할아버지가 할머니 앞에서 돈 내놓으라고 윽박지르는 모습을 보게 되었다. 나중에 엄마한테 물어보니 할머니 남편이라고 했다. 흰색 중절모에 흰색 양복, 새하얀 백구두로 멋을 낸 할아버지 앞에 웅크려 앉은 할머니는 나보다도 작아 보였다. 엄마는 그 할아버지를 제비족이라고 불렀다. 나는 그 이후로도 종종 비슷한 장면을 보게 되었다. 아이들이 보는 앞에서도 그런 행동을 서슴없이 하는 할아버지가, 어린 마음에도 참 부끄러운 어른이라고 생각했다. 할아버지의 기름기 가득한 얼굴은 할머니의 꺼칠한 얼굴에 패인 주름살이 더 깊어 보이게 했고 주름 하나 없는 새하얀 양복 때문에 할머니의 누빔 점퍼는 한층 더 꾀죄죄해 보였다. 나를 슬프게 했던 그 극명한 대비가 아직도 기억 속에 또렷하다.

봄이 오면 초등학교 정문 앞에 병아리를 파는 아저씨들이 장사진을 이루었다. 웬 놈의 병아리는 그렇게 많은지. 종이상자 안에 가득 담겨서는 나 좀 데려가라는 듯 애처롭게 삐악거렸다. 우리 삼 남매는 한 마리당 50원쯤 했던 병아리를 사이좋게 하나씩 샀다. 워낙 병약한 애들만 모아서 파는 거라 금방 죽는 경우가 대부분인데, 신기하게도 우리가 데려온 아이 중 두 마리는 장성한 닭이 될 때까지 무럭무럭 자랐다. 꼬꼬야, 라고 부르면 신기하게도 알아듣고 쫓아 오곤 했던 그 아이들을 우리는 애완동물처럼 정을 주며 키웠다. 닭들은 집에서 키울 수 없을 만큼 크기가 커져 버려서 할머니 집으로 가게 되었고 우리는 가끔 가서 잘 지내는지 확인했다. 그러나 시골에서 키우는 닭의 운명은 아무도 장담할 수 없다는걸 그때는 몰랐다. 우리 삼 남매는 순진하게도 꼬꼬와 오래오래 행복할 거라고 믿었다.

그러나 결국 그날이 오고야 말았다. 저녁 밥상에 백숙 두 마리가 올라온 것이다. 아무도 말하지 않았지만, 그것이 우리의 꼬꼬라는 것을 직감으로 알 수 있었다. 나는 금세 눈물이 그렁그렁해져 엄마를 쳐다봤다. 엄마는 모른 척 시치미를 떼며 내 눈을 피했다. 어떻게 그럴 수 있냐며 나는 엄마의 팔을 세차게 흔들었다. 언니와 오빠 역시 고개를 떨어트린 채 하염없이 울기만 했다. 그날 밤 아무도 백숙에 손을 대지 않았고, 차게 식은 백숙은 그대로 쓰레기통에 버려졌다.

입맛만 다셨지

아궁이에 구워 먹는 고구마가 최고의 간식이라 알고 살던 7살 무렵, 나는 바나나라는 신문물을 처음 영접하게 되었다. 퇴근 후 현관문을 열고 들어서는 아빠의 오른손엔 노랗고 길쭉하게 생긴 모양의 과일이 하나 쥐어져 있었다. 한 송이도 아닌, 딱 한 개였다. 아빠는 그 바나나를 가족들 줄 생각으로 드시지도 않고 손에 꼭 쥐고 오신 것이다. 요즘에는 바나나만큼 저렴한 과일도 없지만, 그 당시만 해도 굉장히 비싸서 부잣집 애들이나 먹을 수 있었다.

아빠는 크고 둥근 밥상 한가운데 바나나를 올려놓으시곤 자를 가져오라고 하셨다. 우리 삼 남매는 조용

히 밥상에 둘러앉았다. 침 삼키는 소리가 들릴 정도였
다. 아빠는 바나나에 자를 대시고 4등분을 내셨다. 정
확하게 자르기 위해 신중에 신중을 기하던 아빠의 눈빛
이 아직도 생각난다. 가장 통통한 가운데 두 조각은 나
랑 오빠가 먹었고 나머지 양 끝부분은 엄마와 언니가
먹었다. 아빠는 드시지 않았다. 과일이 그렇게 달콤할
수 있다는 것이 놀라웠고, 이렇게 맛있는 걸 매일 먹을
수 있다면 얼마나 좋을지 생각했다. 먹을 것이 워낙 귀
했던 시절인 데다 우리 집 사정은 특히나 넉넉지가 않
았기 때문이다. 당시 시청 공무원이셨던 아버지의 적
은 월급은 다섯 식구 입에 겨우 풀칠만 할 정도였다. 엄
마는 집 앞에 있던 구멍가게에서 콩나물이나 두부, 라
면 같은 저렴한 식자재를 늘 외상으로 사 오셨다.

그런 마당에 과자는 일 년에 한두 번 먹을까 말까
하는 아주 귀한 것이었다. 가끔 아빠 친구분들이 집에
놀러 오시면 당시 3,000원쯤 하던 과자 종합선물세트
를 사 오셨다. 여러 종류의 과자가 큰 상자에 얌전히 담
겨 반짝이는 리본으로 포장된 모습은 내 마음을 설레게
하기에 충분했다.

과자 상자가 우리 집에 처음 온 날, 나는 과자 먹을

생각에 손님이 얼른 가시기만을 바라고 있었다. 얼마나 맛있을까. 밤이 늦어 졸린 데도 꿋꿋이 안 자고 버텼다. 드디어 손님이 가시고 나는 부엌으로 달려가 상자부터 찾았다. 그런데 없었다. 아무리 뒤져봐도 과자 상자는 나오지 않았다. 말도 안 돼.

"엄마! 과자 어디 있어?"
"무슨 과자?"
"아까 아빠 친구 아저씨가 사 온 거 있잖아."
"그거 엄마가 콩나물이랑 바꿔왔는데."

콩나물이라니. 나는 과자에 손도 못 대봤는데 콩나물이라니. 엄마는 그게 뭐 대수냐는 듯 아무렇지도 않게 말씀하셨다. 가족들 먹이겠다고 그러신 거니까 뭐라고 투정을 부릴 수도 없었다. 집에 늘 먹을 것이 부족하니 엄마는 과자 상자가 선물로 들어올 때마다 그런 식으로 바꿔 오셨다.

하루는 이렇게 당할 수만은 없다는 생각에 과자 상자를 받자마자 다락방으로 갖고 들어가 문을 걸어 잠갔다. 그러고는 혹시나 엄마가 또 가져가서 바꿔올까 봐

다 먹지도 못할 과자 봉지를 죄다 뜯어놓았다. 나는 두 볼이 터질세라 과자를 입속으로 욱여넣었다. 우리 집이 슈퍼마켓이라면 이렇게 맛있는 걸 맨날 먹을 수 있을 텐데, 라는 행복한 상상을 하면서 말이다. 나중에 그 장면을 발견한 엄마는 그제야 내 심정을 아셨는지 이후로 다시는 과자 상자를 구멍가게에 가져가지 않으셨다.

꿈에서는 온 가족이
함께 웃었지요

학교 가면 집에 가고 싶고, 출근하면 퇴근하고 싶고, 집에 있어도 집에 가고 싶은 게 사람 마음이라지만 어린 시절의 나는 그렇지 않았다. 학교 수업을 마치고 집으로 돌아가는 발걸음은 언제나 무거웠다. 벌 청소를 하는 한이 있어도 학교에 최대한 오래 남아있는 게 더 나을 정도였다. 집은 나에게 '가고 싶은 곳'이 아니었다.

막내딸이라고 나를 유독 예뻐하셨던 아빠는 그놈의 술만 드시면 다른 사람이 되었다. 아빠가 잔뜩 취해 집으로 오는 날이면 밤하늘보다도 어둡고 온 동네보다도 더 거대한 그림자가 엄마와 우리 삼 남매를 집어삼켰다. 나는 그 어둠이 두려워서 일찍 이부자리를 폈다. 그림자에 집어 삼켜지지 않으려면 서둘러 잠자리에 들어야 했다. 나는 아직 해넘이가 끝나지 않은 이른 시간부터 누워 오지 않는 잠을 청했다. 두 눈을 꼭 감고 두 귀를 꼭 닫고 나만의 세계로 들어가 빗장을 걸어 잠갔다. 그리고 그곳에서 꿈속을 여행했다. 어둠도 없고 그림자도 없는 그곳에서 구름 마차를 타고 하늘을 나는 우리 다섯 식구의 표정이 행복해 보였다. 그러나 누군가의 고함이 수류탄처럼 터지면 나는 곧 짧은 단잠에서 깨어 쓴 현실을 마주해야 했다.

전쟁이 끝나면 엄마는 패잔병처럼 폐허 더미를 뒤로 한 채 한 구석에서 우셨다. 그렇게 울 때면 엄마가 나보다 더 어린아이 같았다. 차라리 진짜 어린아이였다면 달래기 수월했을까. 우는 엄마에게 어린 딸이 할 수 있는 위로의 말은 그렇게 많지 않았다. 그저 엄마의 턱 밑에 앉아서 흐르는 눈물을 수건으로 닦아드리는 것이 전부였다. 엄마는 어린 내 눈에도 한없이 연약하고 불쌍해 보였다. 우리 삼 남매는 어질러진 집안을 치우고 엄마를 다독인 다음 빈속으로 학교에 가야 했다. 거의 매일 이런 일상의 반복이었다. 그러다 보니 엄마처럼 약한 사람이 되지 않는 것이 나의 최대 목표가 되었다. 나는 엄마보다 더 강한 사람이 되어야 했고 완벽하게 화목한 가정을 이루어야 했다.

세월이 흘러 나 역시 결혼을 하고 아이도 낳았다. 아내도 되어보고 엄마도 되어보았다. 그리고 지금은 싱글맘으로 혼자 자녀 둘을 키우고 있다. 이 모든 과정을 거치면서 나는 엄마를 자연스레 이해하게 되었고 원망은 점차 감사로 바뀌었다.

엄마는 최선을 다해 당신의 자리를 지키셨다. 그것만으로도 감사하다. 울고 계시든 아파서 누워 계시든 엄마는 늘 집에 계셨다. 한 번도 집을 비우신 적이 없다. 약한 엄마의 모습을 보는 것이 싫었지만 그런 엄마라도 못 본다고 생각하면 그건 더 싫었다. 엄마는 엄마니까. 어떤 모습으로든 엄마가 집에 계신다는 사실은 나를 그나마 안정시켜 주었다. 우리 엄마 최선을 다했구나. 젊고 예쁜 시절에 다 버려두고 멀리 도망가서 새 살림을 차릴 수도 있었을 텐데. 어릴 적엔 엄마의 역할이 당연하다고만 생각했는데 내가 엄마가 되고, 또 엄마의 나이가 되어보니 결코 당연한 것도, 쉬운 것도 없었다.

오빠는 되고
나는 안 되고

당시 여느 엄마처럼 우리 엄마도 남아선호사상이
강한 분이셨다. 공부 잘하는 오빠에게 따뜻한 밥을 먹
여야 한다며 매일 저녁 새로 지은 밥으로 도시락을 싸
서 나에게 심부름을 시키곤 하셨다. 아침에 등교할 때
저녁 도시락까지 챙겨가도 되는 것을 식은 밥 먹이면
안 된다고 굳이 사춘기 중학생인 나에게 남고로 도시락
심부름을 시키신 것이다. 내가 배달을 하러 가면 남학
생들이 창문에 다닥다닥 붙어서 구경했다. 그러다 누군
가 "종우야! 동생 왔다!"라고 외치면 다들 우우하면서
함성을 내질렀다. 한창 예민할 시기의 여학생이 남고

무리의 놀림 섞인 관심을 받는다는 것이 얼마나 창피했겠는가. 미운 오빠에게 얼른 도시락만 전해주고 도망치듯 집으로 돌아오곤 했다.

오빠의 도시락이 나에게 준 설움은 그뿐만이 아니었다. 하루는 엄마가 도시락 싸는 것을 옆에서 거들다가 오빠 도시락에만 계란 프라이가 두 개 들어간다는 사실을 알게 되었다. 도시락 하나당 계란 프라이도 당연히 하나씩인 줄 믿고 있던 나는 엄청난 충격을 받았다. 명백한 차별이었다. 나는 엄마에게 바락 달려들어 도대체 어찌 된 일이냐고 물었다. 엄마는 그게 뭐 대수냐는 듯 오히려 내 당돌한 기세에 더 당황해하시며 대답하셨다.

"오빠는 공부하느라 힘들잖아."
"나는? 나는 공부 안 해? 오빠만 공부해?"

어이가 없었다. 이렇게 대놓고 차별을 해도 되느냐며 분노했다. 나는 억울함에 그날부로 오빠 도시락 심부름도 때려치웠다. 그렇게 따뜻한 밥 먹이고 싶으면 엄마가 직접 갖다주라고 소리를 빽 지르곤 그만둔 것이다. 괜히 공부를 잘하는 오빠까지도 얄미웠다.

도시락 심부름만큼 싫었던 게 하나 더 있었는데 그건 바로 술 심부름이었다. 아빠는 술이 다 떨어지면 한밤중이라도 아랑곳하지 않고 나에게 술 심부름을 시키셨다. 요즘에야 미성년자 술 판매가 금지이지만 그때는 외상으로 다 팔았다. 한밤중이라 위험하니까 오빠가 가야 하는 거 아니냐고 내가 따지면 오빠는 또 공부해야 하니까 안 된단다. 당시엔 한창 인신매매가 유행이었고 봉고차가 사람 잡아간다는 소문도 돌던 때였다. 구멍가게까지 가려면 가로등 불빛 하나 없는 깜깜한 골목길을 지나가야 했는데도 어린 여자아이 혼자 보내는 게 화도 나고 서운했다. 나는 무서움을 떨치고자 골목이 떠나가라 노래를 부르며 한달음에 가게까지 뛰어가서 술을 사 왔다. 다들 인정하는 내 노래 실력이 아마 그때 많이 길러진 게 아닐까 싶다.

아빠와 취중 진담

　지금은 아빠의 역할이 많이 바뀌었지만 70~80년대
는 밖에서 돈만 벌어오면 가장으로서의 할 일을 다 했
다고 여기는 분위기였다. 그래서인지 나 역시 아빠와의
추억은 많지 않다. 막내라고 예뻐하셨던 기억은 어렴풋
이 나지만 시청공무원으로 일하셨던 아빠는 시간의 여
유도, 마음의 여유도 없으셨다. 늘 일하느라 바쁘셨고
일이 끝나면 거의 매일 술을 드셨다.

　어쩌다 가끔 술을 안 드신 날에 집에 계실 때면 나
는 아빠의 흰머리를 뽑아드렸다. 아빠는 나이에 비해
흰머리가 빨리 나셨다. 나는 흰머리 한 가닥 당 십 원씩
의 용돈을 받았다. 열 개 뽑아서 100원을 받으면 오빠

랑 맛있는 걸 사 먹곤 했다. 가끔 한두 시간 꼼짝 안고 붙어서 뽑으면 천 원이라는 목돈을 벌 때도 있었다. 흰 머리 뽑기는 막내 전용 용돈 벌이였다.

아빠가 어쩌다 일찍 퇴근하시는 날엔 우리 삼 남매를 위해 핫도그를 사 오셨다. 아빠의 손에 들린 검은 비닐봉지 속 따끈따끈한 핫도그의 자태는 탐스럽기 그지없었다. 지금이야 핫도그가 종류도 많고 맛있지만, 그 당시에는 커다란 빵 반죽 안에 손톱만 한 크기의 분홍 소시지가 들어 있는 걸 핫도그라고 불렀다. 그래도 그거라도 먹겠다고 나와 오빠는 쟁탈전을 벌였다. 오빠는 늘 자기 몫을 순식간에 먹어 치우고는 나와 언니 것을 노렸는데 희생양은 대부분 나였다. 나는 어떻게든 안 뺏기려고 핫도그에 침까지 발랐지만 소용없었다. 오빠는 내 핫도그를 홀랑 제 입에 털어 넣고 얄밉게 오물거렸다. 그때는 다 크면 핫도그를 마음 놓고 배불리 먹을 수 있을 거란 생각에 빨리 어른이 되고 싶었다.

사춘기에 접어들면서부턴 그런 소소한 추억마저도 줄어들었다. 나와 아빠는 점점 어색한 사이가 되었고 그렇게 훗날 교통사고로 갑자기 돌아가실 때까지 마음의 거리를 좁히지 못했다. 아빠는 내가 대학교 3학년

때 돌아가셨다. 지금 돌이켜보면 참 아쉽다. 아빠를 한 번이라도 안아드렸더라면, 퇴근하실 때 고생하셨다는 따뜻한 말 한마디 건넸더라면 술로만 채우려 했던 아빠의 외로운 마음이 조금은 위로되지 않았을까. 그때는 맨날 엄마와 싸우는 아빠가 무섭고 싫어서 더 외면했다.

이제 와 조금씩 헤아려본다. 크고 무섭기만 했던 아빠의 어깨. 그 위에 얹어져 있는 가장의 무게를 말이다. 잘하고 있다고 위로해주는 사람도, 이 무게를 나눠서 짊어질 사람도 없다는 사실을 매일 술로 잊어보려 했을 것이다. 어릴 때는 백날 생각해도 이해할 수 없었는데 나 역시 힘든 하루를 가끔 술로 달래는 어른이 되고 보니 가족들에게 말하지 못했던 아빠의 속사정이 조금은 가늠이 된다. 아직 살아계셨더라면 아빠와 단둘이 소주라도 한 잔씩 하면서 취중 진담을 나눴을 텐데. 끝까지 외롭게 가신 우리 아빠가 오늘따라 유난히 그립다.

엄마 냄새

그리운 엄마 냄새가 있다. 어린 시절 엄마 가슴팍에
서는 늘 향긋한 엄마 냄새가 났다. 향수도 안 뿌리는데
희한한 일이었다. 엄마 옷 중에서 여러 가지 색실로 다
이아몬드 무늬가 짜인 분홍색 니트가 있었는데 그 옷을
입으면 그 냄새가 더욱 짙어졌다. 그러면 나는 엄마 가
슴팍에 코를 박고 숨을 깊게 들이쉬곤 했다.

그 분홍색 니트를 입고 요리하던 엄마의 뒷모습이
생각난다. 자주 해 주시던 반찬은 된장찌개와 총각김치
였다. 집안 사정이 넉넉지 않아 여러 종류의 반찬을 해
주실 순 없었지만, 된장찌개와 총각김치만으로도 밥 두
공기는 뚝딱 해치울 만큼 그 맛이 꿀맛이었다. 매 끼니

마다 먹어도 질리지가 않았다. 엄마가 알려주신 레시피
대로 만들어본 적도 있지만, 그 맛이 나진 않았던 걸 보
면 손맛이라는 게 있긴 한 것 같다.

　엄마는 가끔 달걀흰자를 손으로 직접 거품 낸 부드
러운 카스텔라를 만들어 주시기도 하고 설탕을 솔솔 뿌
린 누룽지 튀김을 해 주시기도 했다. 소풍날이면 아침
일찍 일어나 김밥을 싸 주셨는데 우리 삼 남매도 그날
만큼은 새벽같이 일어나서 반쯤 뜬 눈을 억지로 비벼가
며 김밥 꼬투리를 열심히 집어 먹었다.

나의 비밀 친구, 미미

  우리 집에 있는 책이라곤 전래동화 8권이 전부였다. 부모님은 교육에 대한 관심이나 지식을 가질 여유가 없으셨다. 그런 마당에 장난감 같은 게 집에 있을 리 만무했다. 그림을 잘 그리셨던 우리 엄마는 빳빳한 스케치북 뒷면에 인형을 예쁘게 그리고 인형 옷도 여러 벌을 그려서 잘라주셨다. 그걸로 종이 인형 옷 입히기 놀이를 했는데, 그게 내가 하던 유일한 놀이였다. 그러던 어느 날 친구 집에 놀러 갔다가 미미 인형이라는 것을 처음 보게 되었다. 매끈한 몸매에 풍성한 금발 머리, 화려한 드레스를 입은 인형은 종이 인형과는 비교도 되지 않았다. 알고 보니 웬만한 여자아이들은 집에 미미 인형이 하나씩은 있었다. 나만 없었다. 나에게도 미미 인형이 생기면 얼마나 좋을까. 머리도 매일 빗겨주고 목욕도 같이하고 소곤소곤 비밀 얘기도 털어놓을 텐데.

그다음 날 엄마에게 미미 인형을 사 달라고 했다. 엄마에게 무언가를 사 달라고 떼를 쓴 건 그때가 처음이었던 거 같다. 엄마는 당연히 안 된다고 하셨다. 단호한 거절에 서러움이 북받친 나는 끝내 울음을 터뜨리고 말았다. 우는 모습을 보이면 엄마의 마음이 조금은 약해지지 않을까 싶어서 더 눈물을 짜냈다. 그러나 엄마는 나중에라는 말로 대충 넘어가려 했다. 나는 저녁 해가 뉘엿뉘엿해질 때까지도 눈물을 멈추지 않았다. 엄마는 미미 인형 때문에 종일 울고 있는 막내딸을 보고 한숨을 쉬시더니 이내 신발을 신으시곤 밖으로 나가셨다. 징징거리는 소리가 듣기 싫어 자리를 피한 거로 생각한 나는 더욱더 서러워져 다락방으로 올라갔다. 먼지가 고요히 내려앉은 다락방 한가운데 홀로 앉아있자니 코홀쩍이는 소리만 적막한 공간을 가득 채웠다. 마치 우주 가운데 유일하게 살아남은 소리라도 된 것처럼 크고 선명하게 들렸다. 나는 그렇게 한참을 훌쩍이다가 눈물

콧물이 하얗게 말라붙은 얼굴을 하고 지쳐 잠이 들었다.

"현정아, 일어나 봐. 엄마가 이거 사 왔어."

누군가가 나를 흔들어 깨웠다. 눈물과 눈곱이 한데 엉켜 찰싹 붙어버린 눈을 억지로 비벼 떠보니 엄마였다. 뭘 사 왔다고? 엄마의 한쪽 손에는 화려한 드레스를 입은 미미 인형이 건치 미소를 뽐내며 나를 향해 웃고 있었다. 엄마는 말없이 미미 인형을 내 품에 안겨주셨다. 그때 그 감격의 순간은 아직도 잊을 수가 없다. 비록 얼마 안 가 당연히 다시 자랄 거로 생각한 미미의 탐스러운 머리카락을 싹둑 잘라버린 뒤로는 애정도가 급감하긴 했지만 말이다. 그래도 미미 인형은 내 유년 시절 유일한 장난감이자 바람 잘 날 없는 집 안에서 비밀 얘기를 나눌 수 있는 유일한 친구였다.

쥬뗌므,
열렬했던 나의 첫사랑

고등학교 1학년 때 시작된 내 첫사랑의 대상은 프랑스어 선생님이었다. 그때 그 감정은 그냥 반에서 괜찮은 남자애한테 호감을 느끼는 정도하고는 차원이 다른 것이었다. 이성을 그 정도로 진지하게 좋아해 본 건 그때가 처음이었다.

선생님은 아담한 체구에 살짝 날카로운 인상이셨는데 늘 책을 옆구리에 끼고 다니셨다. 심지어는 체육대회 준비를 하느라고 다들 운동장에서 연습할 때도 선생님은 벤치에 앉아 여유롭게 책을 읽으셨다. 우리는 그런 선생님을 있는 척, 아는 척, 잘난 척한다는 뜻에서 삼척동자라고 불렀는데 그러면서도 다들 좋아했다. 특히 프랑스어를 하실 때 중저음의 목소리와 부드러운 발음이 특유의 어른스럽고 지적인 분위기를 풍겼다. 너무 유치한 소리로 들리겠지만 그때 나는 정말로 선생님이 밥도 안 드시는 줄 알았다. 이렇게 멋있고 고상한 사람이 밥을 먹는 따위의 세속적 행위를 할 리가 없다고 생각했다. 그러다가 교무실에서 짜장면을 우걱우걱 드시는 선생님의 모습을 우연히 보게 되었는데, 그때의 충격과 실망감은 이루 말할 수가 없다.

내가 선생님을 얼마나 좋아했냐면, 학교까지 뛰어서 등교할 정도였다. 한시라도 빨리 선생님을 보고 싶은 마음이었다. 신발 끈을 묶을 때부터 가슴이 간질간질 설레었다. 거친 숨을 내쉬며 도착한 곳은 교실이 아닌 교무실이었다. 먼저 선생님이 계시는지 안 계시는지 창문 너머로 확인을 했다. 안 계실 때면 후다닥 들어가서 선생님 책상 위에 국화꽃 한 송이를 꽂아두었다. 며칠 뒤에 가보면 꽃병 속의 꽃은 내 것이 아니었다. 그새 또 다른 경쟁자가 다녀간 것이다.

선생님께 잘 보이고 싶은 마음에 평소라면 얼씬도 안 했을 도서실에도 자주 갔다. 옆구리에 늘 책을 붙이고 다니셨던 선생님은 도서실 관리도 담당하셨다. 선생님이 그곳에 계신다는 생각 때문인지 나도 책이 가득한 그 공간이 좋아졌고, 오래된 책에서 나는 특유의 종이 냄새 또한 좋아하게 되었다. 나는 선생님 보려고 일주일에 한 권씩 책을 읽어내느라 아주 진땀을 뺐다. 헤르만 헤세의 데미안, 알베르 카뮈의 이방인, 에밀 아자르의 자기 앞의 생 등 온갖 프랑스 문학은 그때 다 읽었다. 나는 대출할 때 한 번, 반납할 때 또 한 번 얼굴도장을 찍었다. 그때가 선생님을 정당하게 가까이서 볼 수 있는 유일한 시간이었다. 지금도 그때 그 설레었던 마음을 떠올리면 웃음이 난다.

나는 숫기가 없어서 좋아하는 티를 안 내고 있다고 생각했다. 선생님이랑 얘기도 하고 당돌하게 장난도 치는 다른 아이들이 부러웠다. 그러나 나만 몰랐다. 박현정이 프랑스어 선생님을 좋아한다는 소문이 전교에 파다하게 퍼진 걸 나만 몰랐다. 선생님이 근처에 지나가시기만 해도 친구들이 짓궂게 놀리면서 '현정아! 쌤 지나가신다! 가봐라!'하곤 했다. 그러면 나는 또 좋다고 뛰어가서 보고 그랬다. 사실 선생님 앞에 나설 용기만 없었지 티는 있는 대로 다 냈던 것이다. 내 이름도 당연

히 모르실 줄 알았는데 어느 날 선생님이 '현정아'라고
불러 주셨을 때 나는 정말 그에게로 가서 꽃이 된 것만
같은 기분이었다.

대학생이 되어서도, 결혼하고 나서도 고향 집에 갈
때마다 선생님을 종종 찾아뵙곤 했다. 나이가 들고 세
월이 흘렀는데도 선생님 앞에서 나는 늘 설레는 사춘기
여고생이 되었다. 내가 나이 드는 만큼 선생님도 많이
늙으셨지만, 나에게는 여전히 고등학생 때 모습 그대로
각인되어 있다. 언젠가 선생님이 얼굴 만면에 미소를
가득 머금고 이렇게 말씀하셨다.

"현정아, 내가 그렇게 좋니."

"그러게요. 결혼도 하고 애도 있고, 이제 같이 늙어
가는 마당에 왜 아직도 선생님 앞에서는 가슴이 뛰고
눈을 못 마주치겠는지 저도 모르겠네요. 선생님은 그때
제가 좋아하는 거 알고 계셨어요?"

"그럼, 당연히 알지. 맨날 수돗가 앞에서 몰래 쳐다
보고 가고. 창문 밑에 매달려서 나만 보고 있는데 어떻
게 모를 수가 있나. 책상 위에 꽃도 갖다 놓고 편지도
종종 썼었잖아."

참 좋다. 꽃 같던 시절에 누군가를 가장 순수하고도 열정적으로 좋아했던 기억이 있다는 것이. 며칠 전에는 외출을 했는데 날씨가 참 맑았다. 첫사랑 생각이 났다. 그리운 마음에 안부 전화를 드려볼까 하다가 그만두었다. 잠시간 홀로 추억에 잠겨보고 싶었다. 거친 삶의 바람이 불어도 떨어지지 않는 첫사랑의 꽃잎이 고마웠다. 평소에는 있는 줄도 모르고 살다가 가끔 한 번씩 그 꽃잎이 마음을 간질일 때가 있다. 그러면 나는 다신 오지 않을 꽃 같은 날들의 추억 속을 여행한다.

박현정 팬클럽

아직도 그날을 떠올리면 초여름 햇살의 온기가 느껴진다. 고등학교 2학년, 처음으로 반 미팅이란 것을 하러 가던 날이었다. 엄마는 재밌게 놀다 오라며 손수 셔츠까지 다려주셨다. 싱그러운 푸른색의 줄무늬 셔츠였다. 서둘러 약속 장소인 탄금대로 걸어가는 내 이마엔 땀방울이 살짝 맺혔다. 때마침 불어오는 바람이 시원했다. 나는 짧은 머리카락을 귀밑에서 찰랑대며 조금 더 속도를 내 보았다. 갑자기 내 걸음을 멈추게 하는 여고생 무리.

"언니! 진짜 좋아해요!"

"언니, 저 악수 한 번만 해 주면 안 돼요?"

손을 잡아주자 후배는 어쩔 줄 몰라서 소리를 지르고 좋아했다. 순정 만화 속 한 장면 같지만, 아닌 게 아니라 짧은 머리 스타일에 키가 크고 마른 체형이었던 나는 미소년, 또는 만화 주인공 같다는 말을 자주 들었다. 예쁘장한 미소년 이미지에 열광했던 여고생들이 어찌나 많았는지, 팬클럽까지 생길 정도였다. 쉬는 시간이면 내 책상 위에는 항상 선물, 꽃다발, 편지, 인형, 초콜릿, 옷 같은 것들이 쌓여 있곤 했다. 성격이 내성적이다 싶을 정도로 조용하고 숫기도 없었던 탓에 별로 눈에 띄지 않는다고 생각했는데 의도치 않게 눈에 띄는 외모 탓에 어딜 가나 주목을 받았다. 꾸밀 줄도 몰라서 항상 짧은 머리에 운동화, 셔츠 차림으로 다녔는데 그러던 내가 배우가 되어 브라운관에 나올 줄은 그 누구도 예상하지 못했을 것이다.

참 실속이 없었지

고등학교를 졸업하고 청주에 있는 국립대로 진학하게 되었다. 노래를 즐겨 하고 나름 실력도 있었던 터라 입학하자마자 노래 동아리에 가입했다. 내가 노래를 부르면 선배들이 뒤에서 기타를 쳤다. 가요제도 여러 번 나갔는데 인문대에서 1등 하고 학교 축제에서도 1등을 했었다.

수화 동아리 활동도 했었는데, 당시 그 동아리에 가입한 여학생 중에 진짜 수화를 배우고 싶다는 순수한 마음으로 들어온 사람은 별로 없었을 것이다. 그 이유는 바로 수화 동아리 회장 오빠였다. 동아리 소개 행사에서 처음 본 회장 오빠는 한창 시끌벅적 수다스럽던 분위기를 일시에 조용하게 만들 정도로 훈훈한 포스를 강하게 내뿜었다. 그 자리에서 같이 수다 떨던 나와 내 친구들은 오빠의 환한 웃음에 홀린 듯 다 같이 가입 신청서를 작성했다. 가입하고 보니 그 동아리에 여자만 바글바글했다. 1년 넘게 수화 동아리 활동을 하면서 회장 오빠와 친해지긴 했지만 아쉽게도 그 이상으로 관계가 발전하진 않았다.

당시에 나를 쫓아다니던 남자들은 꽤 많았다. 수많은 대시를 다 거절했던 이유를, 그때는 그저 남자가 무서워서라고만 생각했었는데 지금 생각해보면 그들 중 딱히 내 이상형이 없었던 것이 진짜 이유가 아니었나 싶다. 풍요 속의 빈곤이었다. 이런 상황은 또 쓸데없는 오해를 낳기도 했는데, 내 주변에 항상 남자가 많아서 마음이 있어도 표현하지 못했다는 고향 친구의 고백 아닌 고백을 한참 뒤에 듣기도 했다. 나도 너한테 관심이 있었는데 말이다.

눈치가 없기는 학교 밖에서도 마찬가지였다. 대학생이 되고서 시작한 첫 알바는 영어 학원 비서 일이었다. 한 학기 학비가 당시 65만 원 정도였는데 알바를 하면서 30만 원을 받아 학비를 냈다. 한 달에 30만 원이면 일한 거에 비해 상당히 많은 액수였다. 학원 원장님은 젠틀한 데다 키도 크고 잘생긴 신사였다. 한 번도 나에게 추파를 던진 적은 없지만 나를 예뻐하셨다. 당시 '타임'이라는 브랜드가 처음 나왔는데 정장 한 벌에 30~40만 원 정도 했다. 원장님은 그렇게 비싼 옷을 심지어 몇 벌씩 나에게 사주셨다. 고생했다고. 물론 내가 열심히 하긴 했지만, 아무리 그래도 월급보다 더 비싼 선물을 왜 나에게 몇 번씩이나 해 주셨을까? 이 부분 역시 지금 생각해보면 원장님이 나에게 분명 호감이 있었던 거 같은데, 내가 그런 눈치가 정말 없었구나. 차라리 추파라도 좀 던지지. 내가 좋다고 눈앞에서 난리 블루스를 치지 않는 이상 상대방의 호감을 전혀 알아채지 못했던, 눈치라곤 전혀 없던 그 시절의 현정이가 한 면으론 딱하면서도 한 면으론 너무 나다워 웃음이 난다.

이별은 예고 없이 찾아온다

그날 나는 청주에 있는 자취방에서 수업 갈 준비를 하고 있었다. 평소 연락을 잘 하지 않는 큰어머니로부터 전화가 왔다. 아빠가 교통사고가 나서서 많이 다치셨단다. 전화를 끊자마자 바로 큰집으로 가서 친척들과 함께 충주로 내려갔다. 가는 내내 차 안은 조용했다. 누군가 아빠의 상태에 대해 한마디 할 법도 한데 아무도 입을 열지 않았다. 무덤처럼 고요한 침묵 속에서 우리는 충주에 있는 건국대학교 병원에 도착했다. 병실이 아닌 영안실로 향하는 가족들을 보면서, 그제야 알게 되었다. 다치신 게 아니라 돌아가셨다는 것을. 아빠 나이 51세, 내 나이 22살이었다.

너무 어려서 그랬는지 갑작스러워 그랬는지 나는 그 상황이 실감 나지 않았다. 아빠를 잃었다는 슬픔과 동시에 반사적으로 든 생각은 우리 엄마 이제 좀 숨 쉬면서 사시겠다는 거였고, 상을 치르는 3일 내내 나는 슬픔보다 졸음 때문에 더 괴로웠다. 잠을 제대로 못 잤으니 당연한 일이었지만 그때는 그런 내 자신이 너무 실망스러웠다. TV에서 본 것처럼 몸도 못 가눌 정도로 힘들고 슬퍼야 맞는 거 같은데 그때는 마냥 졸리고 배고프기만 한 내가 이상하고 부끄럽게 느껴졌다.

장례를 다 치르고 나서야 아빠가 없다는 것이 조금씩 실감이 났다. 단팥빵을 그리도 좋아하셨는데 이제는 드실 수 없다고 생각하니 빵집만 지나가도 눈물이 났다. 무뚝뚝해서 애정표현 한 번 제대로 못 해 드린 사춘기 시절의 내가 원망스러웠다. 아빠가 돌아가시고 2년여 동안은 엄마도 나도 TV를 보지 못했다. 뉴스에 빈번히 등장하는 교통사고 소식과 드라마에 나오는 사고 장면들이, 아빠 본인도 모르셨을 당신의 마지막 모습을 떠올리게 했기 때문이다.

아빠가 돌아가시고 난 후 한동안 힘겨워하던 엄마는 곧 마음을 다잡으시고, 경찰서 구내식당에서 일을 시작하셨다. 바깥일도 전혀 해 본 적이 없으신 연약한 분이라 힘든 일을 하실 수 있을지 걱정을 많이 했는데, 홀로 삼 남매를 잘 키워야 한다는 책임감이 엄마를 강하게 만든 것인지 어떤 일이든 마다하지 않고 열심히 하셨다. 구내식당에서는 요리와 설거지 일을 하셨는데 그걸로 내 모자란 학비와 용돈을 대 주셨다. 어릴 때는 엄마의 '너희 때문에'라는 푸념 섞인 소리가 그렇게도 듣기 싫었는데 이제는 '우리 때문에' 그 힘든 시간을 버텨주신 게 그저 감사하다.

인생에 연습이
없다는 걸

걔가 뭘 한다고?

어렸을 때부터 외국에 대한 막연한 동경이 있었다. 그곳에서의 삶은 멋지고 자유로워 보였고, 그래서 여러 나라를 여행하듯 다니는 승무원이라는 직업이 참 매력적으로 느껴졌다. 거기다 영어 학원에서 일하면서 틈틈이 들었던 수업 덕분에 영어 실력에 대한 근거 없는 자신감도 생겼다. 나는 대학교 3학년이 되던 해부터 승무원을 준비하기 시작했다.

연예인이 되고 싶다는 생각을 진지하게 해 본 적은 없다. 충주 KBS 방송국 앞을 수도 없이 지나다녔지만, 저곳의 사람들은 그저 나와 다른 세계의 사람들이라고만 여겼다. 벼락스타 같은 것은 그려보지도 않았다.

그날도 승무원 입사 시험을 치르러 서울로 올라가던 날이었다. 길에서 우연히 KBS 슈퍼탤런트 선발대회 공고문을 보게 되었는데 그날은 왠지 평소처럼 그냥 지나칠 수 없었다. 자세히 읽어볼수록 점점 더 구미가 당겼다.

갑자기 탤런트 선발대회에 나가겠다는 난데없는 내 발언에 오빠의 반응은 의외로 덤덤했다. 오빠는 도와줄 테니까 한번 해보라고 격려해 주었다. 그래, 되면 좋은 거고 안 되어도 좋은 경험이니까. 그렇게 나는 즉흥적으로 선발대회를 준비하게 되었다. 접수 마감이 얼마 남지 않아서 서둘러야 했다.

아직 겨울이 한창이던 1월의 어느 날, 나는 키우던 강아지를 품에 안고 옥상 장독대 옆에 서서 자세를 취했고 그런 내 모습을 오빠가 카메라로 찍어주었다. 남들은 전문가 메이크업에 화려한 옷을 입고서 완벽한 자세로 사진을 찍었을 텐데, 아무것도 몰랐던 나는 누렁이를 안고 어정쩡한 포즈를 취했다. 오빠는 사진에 찍히는 나보다도 더 다양한 자세로 열심히 플래시를 터뜨렸다. 오빠가 없었더라면 아무리 재미로 했다 한들 슈퍼탤런트 선발대회에 지원할 용기를 낼 수 없었을 것이

다. 대회 참가를 지지해 준 사람도, 지원서를 직접 방송
국에 접수해준 사람도 오빠였다. 오빠는 사진을 백만
장쯤 찍더니 사진관에 현상을 맡기고 왔다. 우리는 다
시 머리를 맞대고 서류의 빈칸을 작성했다. 생년월일,
출신지, 학교, 가족 관계 등 기본적인 정보를 채워 넣고
나니 더 적을 게 없었다. 엉성하고 빈약하기 그지없는
지원서에 강아지를 안고 찍은 어수룩한 미소의 여자아
이 사진을 붙였다. 빽빽하게 채워진 서류와 화려한 모
습의 사진들 속에서 여백의 미를 뽐내는 내 지원서가
오히려 더 특별하게 보였던 것일까. 나는 서류심사를
통과했고, 2차 면접을 보러 다시 서울행 버스에 오르게
되었다.

촌뜨기의 매력이란

셔츠는 무조건 맨 윗단추부터 맨 아래 단추까지 꼭 꼭 채워 잠갔다. 단추는 채우라고 있는 거니까 그래야 했다. 그게 내 성격이었다. 맨 윗단추 하나쯤 풀었더라 면 훨씬 자연스럽고 세련되어 보였을 텐데, 그때의 나 는 그 소박한 일탈마저도 감히 상상하지 못할 만큼 정 해진 틀 안에서만 살던 어수룩한 촌뜨기 소녀였다.

나는 목 끝까지 단추를 채운 흰색 셔츠에 흰 반바 지, 그리고 노 메이크업의 풋풋한 얼굴로 대회 면접장 에 당당히 걸어 들어갔다. 그리고 면접 안내문에 적혀 있던 '단정한 옷차림'이라는 문구를 나만 곧이곧대로 해 석했다는 걸 그제야 알게 되었다. 대회장은 그야말로 풀 메이크업과 화려한 옷들의 전시장이었다. 공작새들 사이 흰 백조처럼 나는 당연히 더 눈에 띌 수밖에 없었다. 당시 나를 뽑아주셨던 KBS 김영진 감독님께서 대회 심사할 때 내게 이렇게 물으셨다.

"가족 관계가 어떻게 돼요?"
"엄마랑 언니랑 오빠랑 저, 이렇게 삼 남매예요."
"아버지는?"
"아버지는 작년에 돌아가셨고요, 어머니 혼자 저희를 돌보세요."
"어머니는 집에 계시고?"
"아니요. 엄마는 충주경찰서 구내식당에서 일하고 계세요."

시간이 흐른 뒤에 감독님께서 그때 내 답변에 다소 놀랐다고 말씀하셨다. 누군가에게는 그런 가정사가 창피할 수도 있고, 어떻게든 있어 보이게 꾸며서 말할 수도 있는데 나는 아무렇지도 않게 얘기해서 그게 오히려 당당하고 예뻐 보였단다.

김영진 감독님하고는 이때부터 지금까지 특별한 인

연을 맺고 있다. 감독님은 내가 탤런트가 된 이후로도 나를 살뜰히 챙겨주셨고, 처음에 나에게서 발견해내신 그 자연스럽고 당당한 매력을 내가 계속 어필할 수 있도록 많은 격려와 도움을 주셨다.

슈퍼탤런트 1기 박현정

3차 면접 심사까지 통과한 50명의 지원자는 호텔에서 한 달간 합숙을 했다. 인생에 다시없을 짜릿한 경험이었다. 온갖 첫 경험은 그때 다 해본 것 같다. 호텔 뷔페도 처음 가보고, 비행기도 처음 타보고, 명품이 뭔지도 그때 처음 알게 되었다. 우리는 연기 트레이닝도 받고 팀별 과제도 하고 견학도 많이 다녔다. 방송국에서 제시한 일종의 과제였지만 아무것도 모르던 시골 소녀에게는 그 모든 과정이 마냥 신기하고 즐겁기만 했다.

최종 25명을 뽑는 결선 무대는 생방송으로 진행되었다. 이 대회를 통과한다면 슈퍼탤런트 1기라는 수식어를 갖게 될 터였다. 차례를 기다리는 동안 긴장보단 설렘과

흥분으로 가슴이 터질 것 같았다. 화려한 조명이 나를 감싸는 가운데 무대로 올라가 포즈를 취했다. 내 뒤로는 괌에서 찍은 영상이 재생되었다. 그 영상은 내가 봐도 참 예뻤다. 깡마른 몸매에 짧은 머리를 하고서 활짝 웃는 내 모습이 싱그러웠다.

나는 이 모든 새로운 경험들이 그저 즐겁고 짜릿했다. 후보들이 워낙 쟁쟁했기에 아무 경력도 연줄도 없던 내가 마지막까지 선발될 것이라곤 전혀 기대하지 않았다. 지금 와서 생각해보면 오히려 그랬기 때문에 긴장하지 않고 무대를 즐길 수 있었고, 자연스럽고 당당한 내 모습이 심사위원들과 시청자들에게 매력적으로 보였던 거 같다.

나는 그렇게 슈퍼탤런트 1기가 되어 1995년 3월 KBS에 입사하게 되었다. 입사하고 첫 1년 동안은 전속으로 일해야 했다. 첫 월급은 49만 원이었다. 처음에는 완전 단역부터 시작했다. 당시 나랑 제일 친했던 동생이 내 바로 뒷번호였던 혜영이라는 친군데, 지금까지도 단짝으로 잘 지내고 있다. 그 친구랑 둘이 포장마차에서 어묵탕을 먹는 손님 1과 2를 맡았던 기억이 난다.

신인 연기자의 일상은 기다림의 연속이었다. 내 차례가 언제 올지 모르기 때문에 계속 스탠바이해야 했다. 한번은

48시간, 즉 꼬박 이틀 동안을 스탠바이 한 적도 있다. 이틀을 기다리고서야 내가 나올 장면이 취소되었다는 통보를 받았다. 제작진은 진작 가시지 그랬냐며 미안한 기색을 내비쳤다. 아무도 나를 신경 쓰지 않고 바쁘게 돌아가는 촬영장에서 누구한테고 말을 거는 게 신인에게 여간 어려운 일이 아닐 수 없었다. 나는 허탈한 한숨과 함께 집으로 가는 버스에 올랐다. 입사 후 5개월 동안은 충주에서 여의도까지 버스로 통근을 했었는데 길 위에서 보내는 시간이 카메라 앞에 서는 시간보다 더 길었다.

어찌 됐든 나는 그렇게 연기자로서의 커리어를 시작하게 되었다. 처음에는 시키면 그 자리에서 나오는 날 것의 연기를 해야 했는데, 제대로 배워본 적이 없었기 때문에 당연한 일이었다. 그래서 욕도 많이 먹었고, 연기 못한다고 혼나기도 많이 혼났다. 화장실에 쭈그리고 앉아 서러운 눈물을 몰래 닦아낸 적이 여러 번이었다. 그러다 이따금 연기 좀 한다는 칭찬을 들을 때면 더욱 욕심이 생겼고, 그래서 단 한 줄뿐인 대사라 할지라도 대충할 수 없었다. 방송국에서도 그런 나를 밀어주려 했고, 나는 굵직한 광고 모델과 비중 있는 역할을 점차 맡게 되면서 창창한 앞날을 향해 한 발짝씩 내디뎠다.

술 못 먹고 재밌는 남자가
이상형이에요

재미있는 사람이 좋았다. 유머러스한 남자가 참 위험하면서도 매력이 있는 게, 웃으면 분위기가 좋아지고, 분위기가 좋아지면 마음의 빗장이 조금씩 헐거워지기 때문이다. 나 역시 그랬다. 전남편은 웃을 일이 잘 없던 나를 웃게 만드는 사람이었다. 그 사람과 함께 있을 때 웃는 내 모습이 좋았고, 서로를 바라보며 활짝 웃는 우리의 모습이 좋았다. 언제고 그렇게 웃을 일만 있을 것 같았다.

술을 즐기지 않는다는 점은 내가 거의 유일하게 꼽는 배우자의 조건이었다. 아마도 아빠로 인한 상처 때

문일 것이다. 나는 다른 건 몰라도 술 좋아하는 남자만
은 절대 안 된다고 생각했는데, 그는 술을 안 좋아하는
정도가 아니라 한 잔이라도 마시면 응급실에 실려 가는
사람이었다. 알코올 분해효소가 없어서 그렇단다. 나
는 유쾌하고 술 못 마시는 이 남자를 사랑하게 되었다.

그날은 슈퍼탤런트 1기를 대상으로 예능 특집 프
로그램을 녹화하던 날이었다. 녹화가 끝난 뒤 빌린 의
상을 반납하고 나와 보니 어느새 동료들은 다 가버리
고 녹화장은 텅 비어 있었다. 서울 지리를 몰라서 터미
널까지 어떻게 가야 하는지도 모르는 데다 그날 녹화
도 망친 것 같아 기분도 우울하기 그지없었다. 워낙 유
명한 프로였기 때문에 가족이며 친구들에게 꼭 보라고
신신당부를 했었는데 막상 준비해 간 대사는 다 하지도
못하고 연신 NG만 내는 바람에 통편집될 거 같았다.
잔뜩 풀이 죽어 두리번거리고 있는데 방금 녹화한 프로
의 메인 피디님이 저쪽에 서 있는 게 보였다. 당시에는
그분이 피디님인 줄도 모르고 길을 물어봤다.

"아저씨, 여기서 고속버스 터미널 가려면 어디로 가
야 해요?"

졸지에 아저씨 소리를 들은 피디님은 다행히도 친절하게 길을 알려 주셨다. 그렇지만 서울 지리에 익숙하지 않은 나에게 그런 식으로 알려줘봤자 제대로 알아들을 리 없었다. 대충 알아들었다는 표시를 하고 건물 밖으로 나와서 또 누가 안 지나가나 두리번거렸다. 마침 그때 그가 차를 타고 지나가다가 나를 보고는 잠시 멈추었다. 좀 전까지 같이 촬영했던 터라 얼굴은 알고 있었다.

"현정씨, 어디 가요?"

"제가 지금 터미널을 가야 하는데 길을 하나도 몰라서요."

"아, 그래요? 내가 지금 지방으로 행사를 하러 가는 길인데 터미널 가는 방향으로 가거든요. 태워다 줄게요."

나는 쭈뼛거리면서 차 안을 힐끔 보았다. 일행이 있었다. 그는 코디랑 매니저도 같이 있으니까 안심하고 타라고 했다. 그것이 우리의 첫 만남이었다.

"터미널엔 왜 가요?"

"집에 가려고요."

"집이 어딘데요?"

"충주예요."

"어, 정말요? 마침 나도 지금 충주에 행사하러 가는데. 잘됐네요. 가는 길이니까 태워다 줄게요."

"정말요? 감사해요."

처음에는 지방 출신이라는 공통점 때문이었다. 광주에서 올라와 서울 생활에 적응하기까지 꽤 고생을 많이 했던 그는 동병상련을 느껴선지 물심양면으로 나를 도와주었다. 서울에 집을 구하려 한다는 나의 말에 그는 자기 코디네 집에서 잠시간 살도록 해 주었다. 이태원 경리단길에 있던 이층집이었다. 나랑 동갑이던 코디 친구와 한집에 살면서 그와도 거의 매일 만나게 되었고 우리는 자연스레 연인이 되었다.

그때 그랬더라면

지각 한 번 하면 큰일 나는 줄 알았다. 땡땡이치고 롤러장 한 번 가면 하늘이 무너지는 줄 알았다. 소소한 일탈의 경험 하나 없이 늘 상위권의 성적을 유지하며 중·고등학교 시절을 보냈다. 선생님들과 친구들은 나를 모범생이라고 불렀다. 그리고 그 '모범생'이라는 단어는 하나의 틀이 되어 나를 가두었다. 이 틀에서 벗어나면 인정받지 못할 거란 생각에 두려웠다. 그 단어 안에 담긴 인정과 사랑이 자존감을 채워 주었기에 나는 늘 그 안에 머무르려 했다. 그런 나를 누군가는 성실하다 했고 누군가는 답답하다 했다. 나름 즐거운 학창 시절을 보내긴 했지만, 모범생이라는 이미지에 갇혀 다양한 경험을 해보지 못했던 것이 지금 생각하면 못내 아쉽다. 친구들처럼 미팅도 하고 남자친구도 만들고, 가끔 땡땡이도 치면서 일탈의 짜릿함을 맛보았다면 훗날의 내 선택이 조금 달라지지 않았을까.

보수적인 나의 성향은 연애와 결혼에서도 결정적인 영향을 미쳤다. 전남편은 말하자면 내게 '첫 남자'였다. 누가 나에게 세뇌를 시킨 것도 아닌데 나는 잠자리를 함께하면 무조건 결혼해야 한다는 관념에 사로잡혀 있었다. 그때는 반드시 그래야 하는 줄 알았다. 이 결혼이 순조롭지 않을 것이라는 분명한 증거와 징조들이 많이 있었지만 그래도 어쩔 수 없었다. 이 사람한테 나를 허락했으니까 죽어도 이 사람 집 귀신이 되어야 했다. 웨딩드레스를 입고 결혼식장을 들어가다가도 아닌 것 같으면 박차고 나와야 하는 게 맞거늘 나는 구시대적 발상에 사로잡혀 그 모든 징후를 눈감아 버렸다.

신인 탤런트 박현정의 스캔들 소식은 삽시간에 퍼졌고, 이에 화가 난 국장님은 나를 불러 대뜸 헤어지라는 소리부터 하셨다. 사회생활의 경험이 없던 나는 그 상황이 이해되지 않았다. 걱정해주시는 마음은 감사하지만, 제 사생활이니 제가 알아서 하겠다는 당돌한 발언을 하고야 말았다.

조금만 나를 느슨하게 풀어 주었더라면 경험치의 스펙트럼이 더 넓어졌을까. 세상일이 다 그렇지만 특히 사람이야말로 겪어봐야 알 수 있는 것인데, 남자에 대한 정보가 전무했던 나에게 이혼이란 어쩌면 무지로 인한 당연한 결과일지도 모른다. 우리 딸들은 중요한 선택의 기로에 놓였을 때 가장 현명한 선택을 할 수 있도록 경험 풀이 넓고 깊어지길 소망한다. 나는 아이들에게 숙제 한 번쯤 안 해도 되고 땡땡이쳐도 되니까 해 보고 싶은 거 다 해보라고 재차 말한다. 삶은 실전이기 때문에 부딪히고 경험해보지 않으면 알 수가 없다. 마땅히 필요한 경험들이 부족하지 않았으면 한다. 사랑하고 사랑받는 경험도, 떠나가고 떠나보내는 이별의 아픔도 딸들의 젊은 날에 가득히 채워졌으면 한다.

일보다 사랑,
성공보다 결혼

　　카메라 플래시에 눈이 부셨고 셔터 소리에 귀가 먹
먹했다. 시원한 소나기가 쏟아지던 8월의 마지막 날,
KBS 공개홀은 천여 명쯤 되는 하객들로 가득 차 분주
했다. 내가 결혼하던 날이었다. 나는 새하얀 웨딩드레
스를 입고 신부 대기실에 앉아 기자들의 질문에 답변하
고 있었다. 잠시 방송 중인 건가 싶은 착각이 들었다.
아닌 게 아니라 방송 중이라고 해도 과언이 아닐 만큼
수많은 카메라와 기자들이 예식장을 가득 채웠다.

　　기자는 기분이 어떠냐고 물었다. 깊이 생각해 볼 겨
를이 없었다. 나는 행복하다고 대답했다. 오늘의 주인

공이니까 행복한 게 맞겠지. 행복해야 하는 거겠지. 기자들의 질문 세례와 하객들의 축하 행렬에 혼이 쏙 빠졌다. 그래도 오늘의 주인공이라는 기분이 싫지 않았다.

신부 입장을 알리는 피아노 소리가 들려왔다. 내 앞에 놓인 이 길이 나를 행복으로 이끌리라는 굳건한 믿음으로 한 발 한 발 내디뎠다. 눈부신 조명 탓에 앞이 잘 보이지 않았다. 넘어지지 않고 무사히 걸어가는 데 신경을 집중하다 보니 내가 걷는 이 길이 어디로 가는지 어디로 날 데려가는지 잠시간 헷갈렸다. 맞다, 나 결혼하는 중이지. 다시 정신을 차리고 입꼬리를 한껏 올린 채 행진을 했다. 그리고 평생을 함께하기로 약속한 이의 팔짱을 끼고 단상 앞에 섰다. 그래, 이제 행복할 일만 남았어.

여느 결혼식이 그렇듯 내 결혼식도 한 시간이 채 안 되어 후다닥 끝이 났다. 결혼을 준비하는 데도 시간이 오래 걸리지 않았던 터라 이렇게 순식간에 누군가의 아내가 된 것이 실감이 나지 않았다.

나의 결혼에 대해서는 부정적인 평가가 대부분이었다. 당시 나는 신인으로서는 하기 힘든 유명한 광고 모델까지 여럿 맡은 상황이었다. 물 들어올 때 노를 힘껏 저어도 모자랄 판에 결혼해서 되려 물길을 막는다며 혀를 차는 소리가 많았다. 그럴수록 나는 더욱 말을 아끼고 행동으로 보여주리라 다짐했다. 백 마디 말보다 한 번 잘 사는 모습을 보여주면 그 모든 듣기 싫은 말들을 잠재울 수 있을 거로 생각했다. 그때는 3,500:1의 경쟁률을 뚫고 배우로 성공하는 것보다 행복한 가정을 이루는 것이 나에게 더 중요한 가치이자 이루어야 할 목표였다. 아내와 엄마로서의 내 위치를 지킨다면 행복의 풍선이 두둥실 날아와 내 품에 안길 것이라 믿었다. 그러나 그렇게 믿어 의심치 않았던 나의 믿음은 얼마 지나지 않아 조금씩 금이 가기 시작했다.

저 계속 배우 하고 싶어요

첫째가 태어나면서부터는 꾸준히 하던 방송 일도 내려놓아야 했다. 도와주는 사람 없이 오로지 나 혼자서 아이를 키워야 했기 때문이다. 너무 어려서 맡길 데도 없었기에 나는 들어오던 모든 일을 거절하고 광고만 이따금 찍었다. 그렇게 육아와 가사에 전념하다 보니 일은 계속 줄어들었고, 진짜로 일을 그만둔 것만 같은 지점에 이르렀다.

평범한 꿈을 꾼 것이 내 욕심이었을까. 나는 안팎으로 조금씩 무너지고 있었다. 안에서는 내 마음대로 되지 않는 결혼 생활이, 밖에서는 박현정이 배우 일을 관뒀다더라 하는 소문이 나를 조금씩 갉아먹고 있었다.

나조차도 뭐가 사실인지 알 수 없었기에 변명을 할 수도 없었다. 사람들이 뭐라고 하든 나는 여전히 연기하는 사람이고 연기를 사랑하는 사람이었지만 고된 육아와 끝없는 기다림은 나를 점점 지치게 했다.

기약이 없는 누군가를 기다리는 심정으로 하루하루를 살아가던 어느 날, 방송국에서 온 한 통의 전화가 나에게 빛처럼 임했다. 서브 역할로 나를 출연시키고 싶다는 연락이었다. 전화를 건 스태프는 잠시 우물쭈물하며 말을 꺼내지 못했다. 엄마고 주부 역할이라 죄송하단 얘기였다. 아니, 주부 맞고 엄마도 맞는데 뭐가 죄송해요. 나는 그 자리에서 바로 승낙했고, 다시금 TV 광고 모델 일을 시작으로 방송 활동을 재기하게 되었다. 큰 아이가 5살이 되던 해였다.

잿더미 속에서

꽃 한 송이가 피기까지

피해자도 없고
가해자도 없다

　이혼은 내 삶의 가장 큰 전환점이다. 그것은 원망이 감사로, 오해가 이해로 바뀌는 지점이었다. 극적인 변화는 아니었다. 이혼 후 매일같이 몰아치는 파도에 나는 서서히 깎여 나갔다. 누군 성인군자 같은 소리나 한다며 나를 가식적인 사람으로 볼지도 모르겠다. 그러나 사람의 감정이나 생각이 원한다고 해서 자유자재로 컨트롤 할 수 있는 것이던가. 거센 파도에 몇 번 내던져지고 나서부터는 그저 흐름에 몸을 맡겼다.

　이혼하기 전에 나는 어딜 가든 성실하다는 소리를 들었다. 내 삶의 목표인 '행복한 가정'을 위해 최선을 다했고 치열하게 삶을 꾸려나갔다. 그런데 돌아온 결과가 이혼이라니. 나를 둘러싼 모든 사람이 가해자라고 생각했다. 굴곡진 어린 시절을 겪게 만든 부모님도 가해자였고 꿈꿔왔던 행복한 결혼생활이 깨지게 만든 장본인도 전남편이라고만 생각했다. 그것은 나의 큰 착각이자 피해 의식이었다. 최선을 다한 건 나뿐이고 전남편은 가해자라고만 여겼는데 충분한 이해와 대화가 없는 상황에서 그를 억지로 원하는 남편상에 끼워 맞추려고 했던 나 역시 가해자였다. 별 모양을 동그라미 모양에 억지로 끼워 넣으려고 하면 뾰족한 부분은 잘려 나가는 아픔을 겪어야 한다. 전남편이 겪었던 고통이 그런 게 아니었을까. 나 역시 최선을 다했지만 의도하지 않게 고통을 준 것처럼 그도 그랬을 것이다. 내가 최선을 다한 결과가 우리 아이들에게 이혼의 상처를 남긴 것이듯, 나의 부모님도 아마 그랬을 것이다. 그걸 조금씩, 서서히 이해하게 되었다. 그게 참 감사하다. 그러지 않고 여전히 원망하며 피해자 코스프레를 하고 살았다면 더 비참하고 괴로웠을 것이다. 고의적인 가해도 없고 일방적인 피해도 없다. 우리 다 똑같이 연약한 사람들이니까.

원망하고 미워하는 그 마음 자체가 지옥이다. 그 지옥에서 빠져나오는 데에 여러 가지 방법이 있겠지만 내가 배운 한 가지 효과적인 길은 '감사'이다. 어떤 저주스러운 상황도 감사로 받으면 버릴 게 없다. 일상의 작은 일에 감사하며 하루하루를 넘길 때 그 하루하루가 쌓여 일 년이 되고 십 년이 되고 나의 삶이 되는 것이다. 나중에 나이가 들어 자신의 삶을 돌이켜 볼 때 감사로 가득 찬 삶을 발견하게 된다면 그걸로 만족스럽고 기쁘지 않을까. 인생은 고통 그 자체라는 어느 유명한 화가의 말처럼, 원래 인생이란게 고통스러운 것인데 내가 지금 힘들다면 잘살고 있는 게 아니겠는가. 힘든 건 당연한 거니까. 산다는 게 원래 힘든 거니까. 오늘 하루가 또 무사히 지나갔다는 것에 감사하고 그 힘든 하루를 잘 살아낸 당신의 어깨를 토닥여주자. 그런 하루하루가 지나 세월이 흐르면 감사가 넘치도록 쌓인 당신의 아름다운 인생길을 발견하게 될 것이다.

침묵이 백 마디 말보다 낫다

아이들을 학교에 보내고 향한 곳은 카페 '주빈'이었다. 테이블 다섯 개에 로스팅 기계 하나를 둔 아담한 곳이다. 거의 14, 5년 전이니 그때만 해도 가게에서 직접 로스팅해서 커피를 내리는 곳이 드물었다. 그곳의 커피 맛이 유난히 좋아 지나는 길이면 꼭 들러서 두 잔씩 마시곤 했다. 자주 가다 보니 사장님도 나를 기억하게 되셨고, 우리는 자연스레 안부를 묻는 사이가 되었다.

그날도 여느 때처럼 한쪽 테이블에서 커피를 마시고 있었다. 사장님이 주문받은 커피를 내리고 있는 모습을 하염없이 바라보다 농담 반 진담 반으로 한 마디 던졌다.

"저도 커피 한번 내려 보고 싶어요."

"한번 해봐요. 현정 씨도 잘할 거 같은데? 시간 괜찮으면 간간이 아르바이트하면서 배워 봐요."

호기심으로 시작한 주빈커피에서의 일은 나의 일상이 되었다. 지금은 모습이 많이 바뀌었지만 아직은 내가 6년간 일했던 흔적이 곳곳에 묻어있다.

카페에서의 시간은 빠르게 흘렀다. 정신없이 일에 집중하다 보면 나를 괴롭히던 생각들에서 벗어날 수 있었다. 전에는 아무리 애를 써도 안 되던 일이었다. 커피를 내리고 잔을 닦고 테이블을 치우는 이 모든 행동이 나에게는 치료의 과정이었다.

주빈커피는 나만 알고 싶은 아지트이자 언제든 편하게 기대어 쉴 수 있는 친정 같은 공간이다. 배우라는 직업도 그렇고 당시 나의 이혼 소식이 세간의 관심거리였으니 고정적인 일을 구하기가 어려웠다. 흔쾌히 카페에서 일할 수 있도록 도와주신 카페 사장님께 다시 한번 감사하다고 말하고 싶다. 단순히 물질적인 수입뿐만 아니라 한숨 돌릴 수 있는 마음의 공간이 당시 내게 정말 큰 힘이 되었다.

한동안은 카페를 이용하는 손님 중 반 이상이 기자들이었다. 내가 카페에서 일한다는 소식을 듣고 전남편과 이혼하기까지의 전말을 알아내기 위해서였다. 주문받기 위해 테이블 앞에 멈춰 서기도 전에 왜 이혼했는지, 어떤 이유가 있었는지 연신 물어댔다. 빈말은 시간 낭비라는 듯이 곧바로 본론으로 들어갔고, 나는 무방비 상태로 날카로운 질문에 그대로 찔려야 했다. 동의도 구하지 않고 카메라를 들이대기도 했다.

"죄송하지만 드릴 말씀이 없습니다. 일하는 중이라서요. 커피 맛있게 드시고 가세요."

단 한 번도 인터뷰에 응한 적이 없는데 이혼 사유를 제멋대로 추측해서 쓴 가쉽 기사들로 나는 고통을 받아야 했다. 나라고 왜 나서서 해명하고 싶지 않았겠는가. 나가서 무슨 말이라도 하고 싶은 마음이 굴뚝같았다. 그러나 이성보다 감정이 앞선 상태에서 해명한답시고 말을 해 봤자 기자들에게 먹잇감을 더 던져주는 꼴밖엔 안 되었을 것이다. 애초에 중요한 것은 사실 여부가 아니라 그저 많이 읽히는 기사를 쓰는 것이기 때문이다.

구설수가 많을 땐 바짝 엎드려 숨만 쉬고 있는 게 최선임을 믿음의 지체들이 알려주었다. 할 말은 많겠지만 지금은 때가 아니라고 했다. 언젠가 편하게 하고 싶은 말을 할 수 있는 때가 올 테니까 지금은 아무것도 하지 말고 그저 잘 먹고, 잘 자고, 화장실 잘 가는 것만 잘 하라고 했다.

그렇게 이혼 후 3년이라는 인고의 세월을 보냈다. 아마 혼자서는 버틸 수 없었을 것이다. 돕는 손길 위에나 자신을 맡긴 채로 쥐 죽은 듯 조용하게 지내다 보니 영원할 것 같던 고통의 시간도 지나갔다. 이제는 안다. 침묵이 백 마디 말보다 더 나았다는 것을 말이다.

나도 성인군자는 아니기에 이제 다 용서한다는 말은 못 하겠다. 여전히 벌건 입을 벌리며 아파하는 상처들이 보인다. 그러나 그 상처를 스스로 치료하려는 욕심은 내려놓았다. 죽을 때까지 아물지 않는다고 하더라도 어쩔 수 없다. 그저 시간에 맡기고 하나님께 맡길 뿐이다. 완전히 치료받을 수 있다면 감사한 것이고 그렇지 않더라도 감사하다.

미워하는 감정도, 용서하지 못하는 마음도, 내가 느끼는 모든 감정은 자연스러운 것이다. 모두에게 좋은 사람이 되기 위해 억지로 부정적인 감정을 제거하려 한다면 그때부터 지옥은 시작된다. 아름답고 긍정적인 것이 아닐지라도 그 모든 게 나의 일부이고 내 삶의 일부다. 그래서 나의 삶은 읽을 만하다. 굴곡진 나의 인생은 아래위로 스펙트럼이 넓어서 공감할 만한 부분도 다양하다. 누군가는 맞아, 맞아 하면서 읽을 것이고 또 누군가는 진심 어린 조언을 얻게 될 것이다. 나는 그렇게 되길 소망한다. 내 이야기가 누군가에게 엄청난 광명은 아닐지라도 작은 온기를 줄 수 있는 무릎담요 정도는 되길, 거대한 저택은 아닐지라도 지친 한 몸 널 수 있는 아늑한 원룸이 되길 소망한다.

밑 빠진 독에 물 붓기

이혼 후 나를 가장 괴롭게 한 것은 외로움이었다. 한동안 형체도 없는 거대한 이 감정을 온몸으로 받아내야 했다. 외로움이라는 흔한 단어로 표현하기엔 그 감정의 크기와 깊이가 너무도 컸다. 그것은 바닥을 알 수 없는 심연 속으로 나를 계속 끌어내리는 블랙홀이었고, 메울 수 없는 크고 깊은 구덩이였다. 그 구덩이 속을 들여다보면 새카맣게 타버린 잿더미가 가득했다. 잿더미가 뿜는 연기에 내 가슴은 숨도 못 쉴 만큼 답답해졌고 머릿속은 어지러웠다. 잠을 잘 수가 없어서 미친 사람처럼 그 새벽에 한강을 얼마나 뛰쳐나갔는지 모른다. 한강 물에 나의 뇌와 심장을 꺼내 식히고 싶은 심정이었다. 씻어서 식힐

수만 있다면, 그러면 잠을 잘 수 있을까. 이 구덩이를 메울 수 있을까. 단순히 누군가를 만나면 해결되는 종류의 외로움이 아니라, 온 우주에 혼자 살아남은 사람이 느낄 만한 그런 공허하고 불안한 감정이었다.

뭔가에 집중하면 괜찮아질 거 같아서, 나는 아닌 밤중에 가사 노동에 몰두했다. 낮에 바리스타로 일하고 저녁에 집에 와서 아이들을 재우고 나면 그때부터 집에 있는 그릇이란 그릇은 다 꺼내서 닦고 또 닦았다. 하나 꺼내서 닦고, 올려놓고 또 하나 꺼내서 닦고. 이런 식으로 매일 밤을 미친 사람처럼 청소에 몰두했는데, 그 결과는 원망스럽게도 숙면이 아닌 어깨 수술이었다. 과도한 노동으로 인해 양쪽 어깨 회전근개가 다 파열돼서 수술을 받아야만 했다. 이혼 후 2년쯤 되었을 때 생긴 일이었다. 그리고 5년쯤 지나니 나의 몸 각 기관에 혹들이 하나둘씩 생기기 시작했다. 건강을 돌볼 여력이 없어 스트레스에 나를 방치한 채 삶을 이어나간 결과였다.

나의 울타리

쉽지 않은 결혼 생활이었지만 그래도 나는 그 안에서 보호받았고 안정을 느꼈다. 가정이라는 울타리와 남편이라는 그늘 아래 있을 때 나는 맹수의 공격으로부터 보호받는 양처럼 한가로이 풀을 뜯어 먹을 수 있었다. 그때는 몰랐다. 어느 날 갑자기 그 울타리가 사라졌고, 나는 아무런 보호 장비 없이 험한 세상에 내팽개쳐졌다. 나의 이혼 사실은 삽시간에 기사화되어 만천하에 공개되었고 나를 모르던 사람들조차 내가 공식적으로 이혼녀가 되었음을 알게 되었다. 나를 대하는 사람들의 태도는 이전과 크게 달라졌다. 별의별 남자들이 내게 쉽게 다가왔고 별의별 사람들이 나를 함부로 대했다.

한 번은 세탁소에 맡긴 옷을 찾으러 갔다가 돈을 지불하고 나오려는 데 사장님이 돈을 받으면서 내 손을 덥석 잡았다.

"지금 뭐 하시는 거예요?"
"아니, 그게 아니라……."
"돈만 받으면 되지 내 손을 왜 만져요?"
"그게 아니고……."
"뭐가 그게 아니에요. 사장님 진짜 그러시면 안 돼요."

그러고 돌아서서 나오는데 눈물이 핑 돌았다. 이혼녀의 삶이 이런 거구나 싶었다. 그동안 연락 한번 없던 대학교 친구나 고향 친구들이 밤늦게 술 취한 목소리로 전화해서 보고 싶다고, 술 한잔하자고 하는 일도 비일비재했다. 단순히 남자를 원하는 외로움이었다면 해소할 기회는 넘치게 많았다. 그러나 남자들의 연락이 잦아질수록 나는 더욱 비참하고 외로워졌다. 내가 원했던 것은 단지 하룻밤의 불장난이 아니었다. 그저 기대어 안식할 수 있는 내 편이 필요했다.

커피숍에서 일하던 당시 연일 이혼 기사가 인터넷

에 오르내렸다. 기자들은 나를 찾아와서 대놓고 왜 이혼했냐고 물어보았다. 내 기분은 전혀 상관없다는 듯 자기들 궁금한 것만 잔뜩 쏟아내고 갔다. 나는 최대한 묵묵히 받아내려 했지만, 가끔 너무 힘들어 울컥할 때면 화장실에 가서 몰래 눈물을 쏟아냈다. 그리고 돌아와서 아무렇지 않은 척 다시 일했다. 어쨌든, 일은 계속해야 했으니까. 수많은 왜곡된 기사들로 인해 힘들어하던 나에게 하루는 딸 수인이가 이런 말을 해 주었다.

"엄마, 요즘에는 노이즈 마케팅이라는 것도 있어. 그걸 굳이 그렇게 나쁘게만 생각하지 말고 상처받지도 마. 아직도 이름이 거론된다는 거는 사람들의 관심 속에 있다는 거야. 아직도 사람들이 엄마를 관심하고 기억하니까 그런 기사들도 나는 거라고. 그러니까 너무 신경 쓰지 마."

순간 망치로 머리를 맞은 듯했다. 아직 어린아이인데 이렇게 성숙한 생각을 한다는 것이 한 면으론 놀라웠고, 또 한 면으론 고마웠다. 모든 일이 생각하기 나름이라지만 막상 나에게 어려운 일이 닥치면 그 모든 감정과 생각이 오롯이 나의 것임에도 불구하고 마음대로 컨트롤할 수가 없다. 아마 혼자서는 할 수 없었을 것이다. 수인이의 지혜로운 한마디 말은 나에게 정말 큰 위로와 힘이 되었고 생각의 전환을 가져다주었다. 그래, 아이들이 이제는 나의 울타리이다. 아이들은 내가 엄마의 자리를 지킬 수 있도록 나를 보호했고 끝까지 버틸 수 있도록 버팀목이 되어 주었다. 아이들 앞에서 부끄럽지 않은 엄마가 된다면 그걸로 되는 거다.

"수인아, 네가 엄마보다 더 낫다. 고마워. 그렇게 생각할게."

푸른 꽃이 피는 봄에
삼청동에서

　해가 뜨고 아침이 오면 아이들을 겨우 챙겨 학교에
보냈다. 그러고 나면 다시 침대에 눕는 것밖엔 내가 할
수 있는 게 없었다. 침대에 누우면 한없이 땅속으로 꺼
져 들어가는 것만 같았다. 해야 할 일은 산더미 같은데
도무지 손가락 하나 까딱하기가 힘들었다. 예전의 나
는 그렇게 무기력한 사람들을 쉽게 비난하고 판단했었
다. 의지의 문제라고 생각했기 때문이다. 아, 그것은 단
순히 의지의 문제가 아니었다. 그냥 안 되는 거였다. 나
또한 무기력으로 아파보니 그때 그들의 모습을 십분 이
해하게 되었고 너무 쉽게 정죄했던 게 미안했다. 나는

이불 속에서 눈물로 베갯잇을 적시며 내가 비난했던 여러 사람에게 사과 문자를 보내기도 했다.

벚꽃이 분홍빛 뺨을 수줍게 물들이는 5월이었다. 창문을 열면 따스한 바람에 정리 안 된 잔머리가 볼을 간지럽혔다. 친한 집사님이 바람 좀 쐬자고 누워있는 나를 일으켜 삼청동에 데리고 갔다. 봄날을 즐기려고 나온 사람들로 거리는 북적였다. 꽃향기를 싣고 온 봄바람이 향긋했고 하늘은 눈이 시릴만큼 쾌청했다. 좌판에 놓인 귀걸이를 서로의 귀에 대보며 까르르 웃는 여학생들을 보고 있자니 괜스레 내 마음에도 온기가 조금 도는 것 같았다. 안국역에서부터 경복궁 돌담길을 따라 삼청동으로 올라가는데, 골목마다 예쁜 옷집과 공방들이 많았다. 집사님은 내가 평소에 그릇에 관심이 많다는 것을 알고는 그릇 공방으로 나를 데려갔다. 마침 수업을 하는 중이라 그릇 만드는 과정을 지켜볼 수 있었다. 나는 그날 처음 본 청화 그릇에 완전히 매료되었고 다음 날 바로 수업을 등록했다.

나를 괴롭게 하는 생각들에서 해방되어 오로지 붓끝에 집중하는 그 시간이 좋아서 매주 빠지지 않고 수업에 갔다. 그릇이 하나둘씩 쌓여갈수록 마음의 짐이 조금씩 가벼워졌다. 그릇 하나를 완성하는 데 보통 세 시간, 네 시간은 금방이다. 맨 처음에는 구워져 나온 도자기를 사포질한다. 한 번 먼지를 씻어낸 다음 연필로 스케치를 하고 그 위에 청화 물감으로 아웃 라인을 그린 뒤 색을 입힌다. 그러면 선생님이 유약을 발라서 구워 주신다. 일주일 뒤면 완성된 그릇 하나를 받을 수 있다. 지금도 찬장에 고이 보관하고 있는 청화 그릇 세트는 우울증과 무기력증에서 나를 구해 준 내 아픔의 결실이다. 간질거리는 봄날의 날씨와 극명한 대조를 이루며 어둡게 문드러져 가던 나를 일으켜주던 그 손길이 없었다면 알지 못했을 즐거움이다. 지금도 가끔 공방에 가곤 한다.

그림에 대한 소질은 엄마에게서 물려받았다. 우리 엄마는 소위 말하는 '금손'이다. 요리면 요리, 그림이면 그림, 심지어 죽어가는 화초까지도 엄마의 손을 거치면 거짓말처럼 살아났다. 어릴 때부터 그림 그리는 걸 좋아하고 실력도 꽤 있어서 사생대회에서 상도 타곤 했던 나는 화가의 꿈을 키웠었다. 그러나 미대에 진학하려면 입시 학원에 다녀야 했는데 그러기엔 가정 형편이 넉넉지 못했다. 나는 아쉽지만 화가의 꿈을 접고 성적과 경제적 여건에 맞춰 국립대 사학과로 진학했다. 그때 못

다 한 화가의 꿈을 청화 그릇으로나마 펼칠 수 있어서
더 끌렸나 보다.

여보, 나도 할 말 있어

이혼 후 3년을 죽은 듯이 지내다가 가게 된 곳이 연극 무대였다. 그날도 여느 때처럼 카페에서 일하고 있었는데 한 연출님으로부터 전화가 왔다. 이러이러한 작품을 하는 연출잔데 나를 좀 만나고 싶다는 거였다. 나는 의심 반 기대 반으로 그와 약속을 잡았다. 그는 며칠 뒤 내가 일하는 카페로 대본을 하나 가지고 왔다. 바로 9일 뒤에 시작하는 지방 연극 공연에 출연해 달라는 제의였다. 2년째 공연 중인 팀인데 한 사람이 빠졌다는 거였다.

"아니, 연극 공연을 9일 만에 어떻게 해요? 저 못해요."

"아니에요. 나는 보여요. 현정 씨 안에 그런 캐릭터가 분명히 있어요. 할 수 있어요. 현정 씨를 찾느라고 얼마나 고생했는지 몰라요."

두 달을 꼬박 연습해도 공연을 할까 말까인데 어떻게 9일 만에 그 많은 분량의 대사를 외워서 무대에 오를 수 있단 말인가. 연출자님은 아침마당을 보고 처음 나를 알게 되었고, 30대 여배우 후보 리스트 중에 내 이름이 있는 것을 보고서 연락을 하셨다고 했다. 그렇게 어렵사리 나를 찾아오셨다는 게 한 편으론 정말 감사했다. 나는 일단 생각해 보겠다고 했고 연출자님은 대본과 공연한 비디오테이프를 놓고 가셨다. 집에 가서 대본을 찬찬히 읽어보는데 일단 작품이 너무 좋았고 작품이 좋으니 욕심이 생겼다. 맡게 될 역인 춘자의 삶이 내 삶과 많이 닮아있었다. 한 여자의 인생, 딸이자 아내, 그리고 엄마의 역할이 이 극 안에 다 담겨 있었다. 나는 그렇게 출연을 승낙하게 되었고, 리딩하면서 녹음해두었던 것을 자기 직전까지 온종일 들으면서 9일 동안을 죽기 살기로 연습했다.

그게 나의 첫 연극이자 이혼 후 처음으로 하게 된

작품, 〈여보, 나도 할 말 있어〉이다. 나에게는 보석처럼 귀한, 내 연기 인생의 전환점이 되어준 작품이다. 이 작품을 통해 나는 무대 위에서의 기쁨을 알게 되었고 연기 공부도 기초부터 차근히 다시 시작할 수 있었다. 이렇게 준비되지 않았더라면 브라운관으로의 복귀도 훨씬 늦어졌을 것이다. 그때는 몰랐지만 이제 와 돌아보면 마치 누군가가 나를 기초부터 하나씩 준비시키기 위해 모든 계획을 다 세워놓았다는 생각이 든다. 연극 무대의 경험이 탄탄하게 쌓인 지금은 어떤 역할이 주어져도 담대히 도전할 자신이 생겼다. 연극을 한 지 4년째 되던 해, 나는 아침드라마를 통해 브라운관으로 복귀하게 되었다.

배우 인생 제2막

가슴 속에 뜨거운 덩어리가 가득하다. 이 덩어리는 연기에 대한 나의 열정이자 연기를 통해 보여줄 수 있는 나의 수많은 모습이다. 백 개쯤은 들어 있는 것 같은데, 아직 10개도 채 못 끄집어낸 거 같아서 답답하다. 나는 앞으로 죽을 때까지 연기하면서, 내 안에 남아있는 이 많은 덩어리를 다 끄집어내서 보여줄 것이다.

사실 처음 연기를 시작할 때부터 이런 다짐을 한 것은 아니었다. 이혼 후 3년간의 공백기를 지나 시작하게 된 연극 무대가 연기에 대한 나의 열정을 다시금 불태웠다. 나는 탄탄한 내공의 선배 배우들과 함께하면서 기초부터 차근히 연기 훈련을 받을 수 있었다. 너무

오랜만이기도 했고, 또 연극 무대는 처음이라 초반에는
많이 긴장했었다. 그러나 시간이 지날수록 나는 점점
살아났다. 한 대사, 한 대사 말할 때마다 숨통이 트였고
관객들과 소통할 때면 피곤은 어느샌가 사라지고 새로
운 에너지가 솟아났다. 신기한 노릇이었다. 나는 관객
들의 호응을 날개 삼아 무대를 날아다녔다. 내가 연기
를 하게 된 이유가 그제야 또렷해졌다.

나의 배우 인생은 어쩌면 26년 전 방송국 문턱을 처
음 넘던 때가 아니라 수많은 굴곡을 거쳐 목마르고 또
목마르던 그 순간에 오아시스처럼 찾아온 연극 무대부
터 시작된 것이 아닌가 싶다. 그저 승무원처럼 하나의
직업일 뿐이라고 여겼던 연기자를 이제는 내 운명이라
고 여기게 되었기 때문이다. 무대에서 연기할 때, 카메
라 앞에 설 때 나는 살아 있음을 느낀다.

인생의 굴곡진 경험들은 내 연기에 깊이를 더해주
었다. 경험이 많지 않던 20대 때에는 표현할 수 없던 것
들이 이제는 수많은 경험을 바탕으로 자연스럽게 흘러
나온다. 그런 의미에서 지나가 버린 세월이 마냥 아쉽
지만은 않다. 내 연기를 뒷받침하는 풍부한 자산이 되
었기 때문이다. 좋을 일도, 나쁠 일도 없다는 말은 이럴

때 쓰는 것일까.

나는 이 자산을 바탕으로 마음을 다하는 배우가 되고 싶다. 역할의 비중에 상관없이 매회, 매 순간 진심을 담은 연기를 펼쳐서 사람들의 기억 속에 오래 머물고 싶다.

꽃 피어라 달순아,
꽃 피어라 현정아!

　나의 브라운관 복귀작인 〈꽃피어라 달순아〉는 촬영을 함께했던 감독님과 모든 스태프, 그리고 동료 연기자들과의 팀워크가 매우 좋았던 작품이다. 늘 유쾌하고 재밌는 분위기 덕분에 촬영장 가는 길이 늘 설레고 행복했다. 드라마를 찍는 6개월 동안 잠을 제대로 자본 적이 거의 없을 정도로 빡빡한 일정에도 불구하고 하나도 힘들지 않았다. 메인급 캐릭터라 대사량도 어마어마해서 녹화가 없는 날이면 정말 온종일 대사를 외우느라 진이 다 빠지기도 했지만, 그것마저도 감사했다. 하드 트레이닝 덕분에 지금은 아무리 대사가 많은 역할이 들어와도 겁나지 않게 되었기 때문이다.

특히 드라마 연출을 맡으신 신창석 감독님께 감사드린다. 감독님의 모토는 "빨리 찍고 재밌게 놀자!"였다. 촬영장 분위기를 유쾌하게 만드는 감독님 말 한마디에 우리는 진짜로 빨리 찍고 재밌게 놀 생각으로 즐겁게 촬영을 하곤 했다. 시청률로 모든 것이 판단되는 방송 세계에서 결과보다 과정을, 일보다 사람을 먼저 챙기기가 쉽지 않은데 감독님은 그런 면에서 아주 탁월하셨다. 이렇게 인간적인 감독님 옆에 인간적인 스태프들, 그리고 인간적인 배우들이 모여 〈꽃피어라 달순아〉라는 좋은 작품을 완성해 냈다. 내 인생에 다시 이런 역할, 이런 드라마를 맡을 수 있을까 하는 생각이 들 정도로 나에겐 귀하고 감사한 작품이다.

공연 10분 전
백 스테이지

공연 10분 전, 입장을 마친 관객들은 극이 시작되기 전 티켓을 들고 무대를 배경 삼아 사진 찍기도 하고 공연장 입구에 비치돼 있던 리플렛을 열심히 읽기도 한다. 앞으로 10분 뒤면 나는 조명이 꺼진 무대에 '짠'하고 나타나 그들을 맞이할 것이다.

나는 백 스테이지에서 거울을 보며 오늘은 어제보다 조금 더 힘을 빼보자고 혼잣말을 한다. 어제의 실수가 떠올랐기 때문이다. 어제는 후배 배우와 합을 맞추는 신에서 내가 대사를 조금 일찍 치고 들어가는 바람에 관객들의 시선을 분산시켜버렸다. 오늘은 실수해선

안 된다며 거울에 비친 나에게 한 번 더 주의시킨다.

'튀거나 모나지 않게 해주세요. 이 역할에 스며들어 있는 듯 없는 듯, 그러나 당연히 있어야 하는 그런 연기를 할 수 있게 해주세요.'

3,500:1의 어마어마한 경쟁률을 뚫었다는 타이틀 때문이었을까. 신인 시절의 나는 항상 돋보이고 특별해야 한다는 욕심을 가졌었다. 사람들 입에 내 이름이 더 많이 오르내릴수록 그 욕심도 점점 더 커졌다. 함께 데뷔한 선발대회 동기들과 비교해 뒤처질까 봐 조바심을 내었고 나는 충분히 더 잘될 수 있는데 단지 좋은 배역이 들어오지 않을 뿐이라고 오만한 착각을 하기도 했다.

그때를 생각하면 부끄럽기도 하고 안쓰럽기도 하다. 세월이 많이 흐른 지금은 배우 박현정에게 여전히 많은 빈칸이 있다는 것을 안다. 지금은 조급해하지 않고 훌륭한 선후배 연기자들을 보며 찬찬히 빈칸을 채워가는 중이다. 현재의 내가, 뭐든 할 수 있다는 열정에 가득 찼던 신인 때의 나와 비교해 달라진 점이라면

107

이제는 '틀림'이 아닌 '다름'을 인정하게 됐다는 것이다. 무엇보다도 속도가 아닌 방향, 올바른 방향을 향해 하루하루 걸어가려고 한다.

'비교하지 말자. 지금 나의 자리에서 내게 주어진 역할을 묵묵히 감당하며 지금의 내 모양대로 쓰이면 되는 거야.'

그날의 컨디션, 상황, 함께 하는 배우들과의 합 등 여러 변수에 따라 매번 그 온도와 느낌이 달라진다는 것이 연기의 매력이다. 누군가는 본래 자신과는 다른 모습을 펼칠 수 있기에 무대에 오른다고 한다. 나 역시 무대 위에서 연기하는 내 모습을 모니터링할 때면 내가 이런 것도 표현할 수 있다는 생각에 기쁘고, 마치 보고 싶던 오랜 친구를 만난 것처럼 나 자신이 반갑다. 그것이 내가 공연을 계속하고 싶은 이유이기도 하다. 앞으로 내게 다가올 작품들 안에서 나는 또 얼마나 새로운 나의 모습들을 발견할 수 있을지 기대가 된다.

"하나. 둘. 셋. 파이팅!"

공연 시작 전, 출연하는 모든 배우가 맞댄 손을 힘차게 위로 올리며 파이팅을 외친다. 내 오른손도 다른 배우들의 손바닥 사이에 포개져 천장을 향해 힘차게 솟아오른다. 이들과 함께 모여 작품을 만들고 있다니, 얼마나 가슴 벅차고 감사한 일인지!

모든 준비가 끝났다. 이제 백스테이지를 벗어나 무대에 오를 일만 남았다. 스태프가 공연 시작 사인을 주면 오늘도 막이 오르겠지. 그러면 나는 또 다른 나를 만나러 갈 것이다.

나의 동백이

좋은 작품, 나에게 잘 맞는 작품을 만나는 것은 배우로서 가장 큰 축복이다. 나의 배우 인생에도 그런 작품이 몇 개 있는데, 그런 작품을 할 때면 촬영장 가는 기분이 마치 사랑하는 사람을 만나러 가는 것처럼 설레고 행복하다. 일하러 가는 게 아니라 놀러 가는 것처럼 하나도 힘들지 않아서, 어떨 땐 두세 시간 먼저 가 있던 적도 있다. 내가 잘하고 못하고를 떠나서 좋은 작품의 일부가 된다는 것이 참 감사하다.

그러나 현실적으로는 그렇지 못한 작품을 만날 때가 더 많다. 내 연기 실력과는 별개의 이유로 저평가될 때도 수두룩하고, 사실 여부와 상관없이 근거 없는 부정적인 낙인이 찍힐 때도 많다. 연예인에게 한 번 찍힌 낙인은 주홍글씨처럼 끈질기게 발목을 잡는다. 그러나 불평할 수는 없다. 나는 좋은 작품이든 그렇지 않은 작품이든 함부로 판단할 수 없고, 오로지 주어진 것에 최선을 다해야 한다.

이번 백상예술대상 시상식에서 많은 사람에게 감동을 준 배우 오정세 씨의 수상소감을 듣고 나 역시 큰 위로와 격려를 받았다.

"지금까지 한 100편 넘게 작업을 해왔는데요. 어떤 작품은 성공하기도 하고, 어떤 작품은 심하게 망하기도 하고, 또 어쩌다 보니 이렇게 좋은 상까지 받는 작품도 있었는데요. 그 100편 다 결과가 다르다는 건 좀 신기한 것 같았습니다. 저 개인적으로는 그 100편 다 똑같은 마음으로 똑같이 열심히 했거든요. (중략) 그럼에도 불구하고 실망하거나 지치지 마시고 포기하지 마시고 여러분들이 무엇을 하든 간에 그 일을 계속하셨으면 좋겠습니다. 자책하지 마시고. 여러분 탓이 아닙니다. 그냥 계속하다 보면 평소와 똑같이 했는데 그동안 받지 못했던 위로와 보상이 여러분들을 찾아오게 될 것입니

111

다. 저한테는 동백이가 그랬습니다. 여러분들도 모두 곧 반드시 여러분만의 동백을 만날 수 있을 거라고 믿습니다."

나 혼자만의 고민이 아니라, 배우라면 누구나 하는 고민이라는 점에서 위로를, 나에게도 곧 나만의 동백이가 찾아올 것이라는 말에서 격려를 받았다. 갈등은 성장의 기폭제이고 갈등은 변화를 가져온다. 스스로 더 나은 사람이 되고 더 나은 연기를 펼치기 위해 내적으로 치열하게 갈등한단 소리는 곧 성장을 향해 나아가고 있다는 뜻이다. 갈등하고 고민하는 그 순간은 괴롭다. 그러나 아무런 갈등이나 고민이 없다는 말은 정체되어 있다는 소리밖에 되지 않는다.

나는 배우로서 성장하고 있다. 어떤 작품이 나의 동백이가 될지 모르기 때문에, 나에게 주어진 모든 역할에 최선을 다할 것이다. 아무리 작은 역할이라 할지라도 고민하고 노력해서 매번 더 나은 연기를 펼칠 것이다. 똑같이 열심히 한다 해서 결과가 늘 같을 수는 없겠지만 늘 변함없이 열심히 하는 사람에게만 기회가 주어질 것이므로.

마르지 않는

사랑의 샘

눈부시게 아름다운
나의 아이

의사 선생님은 모니터 검은 화면 속 콩알보다도 작은 흐릿한 형체를 가리키며 나의 임신을 축하했다. 잘 보이지도 않는데 생명체라는 것이 신기했고, 그게 내 아이라는 것은 더 믿기지 않았다. 결혼하고 아이를 낳아 행복하게 사는 것이 인생 최대의 꿈이었기에 당연히 기쁠 줄 알았는데 막상 임신 소식을 들으니 어안이 벙벙해 어찌 반응해야 할지 몰랐다. 그렇게 배 안에서 10개월을 쑥쑥 자라던 아이는 17시간의 진통을 엄마에게 선사하고서야 세상으로 나왔다. 이러다 진짜 죽는 게 아닌가 싶을 정도로 고통은 어마어마했다. 죽음의 문턱을 몇 번 오르내린 뒤에야 품 안에 아이를 안아볼 수 있었다. 처음 보는 얼굴이지만 왠지 오랜만에 만난 막역한 사이인 듯 반갑고 낯이 익었다. 가슴에서 벅차오르는 기쁨은 눈물로 터져 나왔다. 기쁘고 기뻤다. 그제야 엄마가 된 것이 실감이 났다. 앞으로 아이와 함께할 모든 순간이 기대되고 설레었다. 순수할 수에 어질 인. 어여쁜 나의 첫 딸아이를 수인이라고 불렀다.

둘째는 두 번째라 그런지 한층 수월하게 출산할 수 있었다. 수인이가 태어나고 3년 뒤였다. 아이와 처음 만나는 순간은 여전히 눈부시고 황홀했다. 어쩌다 이렇게 천사 같은 아이가 하늘에서 뚝 떨어졌는지 모를 일이었다. 선물과도 같은 아이들을 나에게 주심이 한없이 감사했다. 세상 세에 덩이 정. 둘째 아이의 이름은 세정이라고 지었다.

처음 해보는 엄마 역할은 만만하지 않았다. 주변에서 보고 들은 소리 그대로 아이들은 엄마를 한순간도 가만두지 않았다. 움직이는 시한폭탄 같았기에 잠시도 눈을 떼지 못했다. 엄마에 대한 애착이 강한 아이들은 잠시도 떨어져 있지 않으려고 했다. 잠깐 자리에 눕혀 놓을라치면 숨이 넘어갈 듯 세차게 울다가도 다시 안아들면 거짓말처럼 울음을 뚝 그쳤다. 그렇게 한 시도 팔에서 아이들을 떼어놓을 새 없던 시절을 혼자서 끙끙대며 지나면서 나는 엄마가 되어가기 시작했다.

슈퍼맘은 없다

　　싱글맘으로서 산 10년의 세월은 현실을 인정해가
는 과정이었다. 그것은 말처럼 쉽지 않았다. '결손가정'
이라는 단어는 마치 깨어진 유리에 테이프를 덕지덕지
붙여 놓은 듯 불안하고 연약했다. 내 욕심으로 인해 아
이들이 다칠까 봐 어떻게든 아빠의 빈자리를 채우려고
애를 썼다. 채울 수 없는 것을 채우려고 하다 보니 나는
자연스레 불안정하고 고갈될 수밖에 없었다. 엄마가 그
런 상태인데 아이들이 어떻게 안정적으로 잘 자랄 수
있겠는가. 나는 헛된 수고를 멈춰야 했다.

　　언젠가 이런 말을 들었다. 너무 애쓰지 말라고. 내
가 아무리 애쓴다고 해도 50%밖에 되지 않고, 나머지

50%인 아빠의 자리까지 채워줄 수는 없다고. 불완전함을 인정하고 그 상황에 맞게 아이들을 키워야 한다는 말이었다. 망치로 머리를 맞은 듯했다. 엄마라면 아이를 위해 뭐든 다 할 수 있고 당연히 다 해야 한다고 생각했기 때문이다. 아이들이 혹시라도 '아빠가 없어서 그래'라는 소리를 들을까 봐 늘 마음을 졸였는데, 그 빈자리를 혼자 다 채워주려 하다 보니 나는 늘 지쳐있는 상태였다. 어쩌면 아이들보다도 나 자신이 받을 상처가 더 두려웠던 것일지도.

엄마도 사람인데 어떻게 뭐든 다 할 수 있겠는가. 그 사실을 깨닫고부터는 내가 아무리 잘해도 50%라는 걸 인정하게 해 달라고 기도했다. 현실을 인정하고 자신의 한계를 받아들이는 것이 좋은 엄마가 되는 첫걸음이었다. 정서적으로 불안정하고 고갈된 엄마가 어떻게 좋은 양육을 할 수 있겠는가.

인정하는 과정은 그 자체로 나에게 치유가 되었다. 아이들에게도 내가 해줄 수 있는 최대치를 말해주며 그 안에서 선택하게끔 했다. 그 안에서 가능하다면 해줄 수 있지만 그게 아니라면 차선책을 택해야 한다고 솔직하게 얘기했다. 떼를 쓸 법도 한데 아이들은 쉽게 수긍

했다. 밤이면 혼자 삼키던 엄마의 울음소리를 혹시나
들었던 걸까. 일찍 철이 들어버린 아이들의 모습이 기
특하면서도 미안했다. 하루가 다르게 훌쩍 커버린 아
이들은 어느새 엄마를 위로할 줄도 알게 되었다. 어쩌
면 내가 아빠가 되어줄 수 없다는 사실을 아이들이 먼
저 알고 있었는지도 모르겠다. 더 많이 사랑해도 부족
한 예쁜 두 딸을 위해서 미안해하기만 하는 약한 엄마
가 아니라, 자신을 돌보고 부족함을 인정할 줄 아는 건
강한 엄마가 되자고 다시 한번 다짐해 본다.

마음이 머무는 곳

어릴 적 늘 집에 계셨던 엄마에 대한 기억 때문일까. 바람 잘 날 없는 집일지라도 엄마가 늘 그곳에 있다는 그 안정감이 아직도 생생해서 나 역시 피치 못할 약속이 아닌 이상 가급적 집에서 모든 일을 해결하려고 한다. 아이들은 웬만큼 크고 나서도 내가 집에 없으면 불안해했다. 특히 이혼하고 나서는 더욱 그랬다. 하루에도 수백 번씩 안아달라고 하고 사랑을 확인하려 했다. 하루는 반복되는 질문에 지쳐 아이들에게 왜 똑같은 질문을 자꾸 하느냐고 물어보았다.

"엄마도 우리 두고 가버릴까 봐."

순간 가슴이 쿵 하고 떨어졌다. 그리고 떨어진 가슴은 다시 뜨겁게 차올라와 눈가를 적셨다. 아이들은 그동안 엄마마저 곁을 떠날까 봐 두렵고 불안했던 것이다. 나는 그 후로 아이들을 안심시키기 위해 대부분의 약속 장소를 집으로 정했다. 다양한 사람들이 방문해서 웃고 떠드는 즐거운 분위기는 아이들에게도 밝고 긍정적인 영향을 미쳤다.

그런 집안 분위기 때문인지 아이들은 밖에 나가기보다는 집에서 노는 걸 좋아하고 외식보단 집밥을 선호한다. 그 또래 아이들이라면 대부분 한식보단 파스타나 피자를 더 좋아할 텐데 우리 딸들은 밖에서 파스타를 먹고 와도 집에 오면 엄마가 해준 밥이 먹고 싶다고 투정을 부린다. 세상에서 가장 듣기 좋은 투정이다.

"엄마, 밥 없어?"

"밥? 방금 밥 먹고 왔잖아."

"아니이, 그냥 밥 먹고 싶어. 밀가루는 별로야. 엄마가 해준 밥 먹고 싶어."

"반찬 하나도 없는데?"

"그냥 계란찜 해줘. 아니면 계란말이. 그거에 김치

만 있으면 돼."

슬쩍 애교를 부리며 밥 달라는 아이를 보는 내 입가엔 어느새 미소가 번진다. 나는 냉장고에서 시금치를 꺼내 무치고 된장찌개를 끓인다. 간을 봐 달라고 아이에게 손짓하면 아이는 쪼르르 달려와 입을 벌리고, 나는 아기 새에게 먹이를 주듯 입에 시금치 한 입을 넣어준다. 살짝 싱거운 것 같다는 아이의 말에 나는 소금 한 자밤을 시금치 위에 빙 둘러 뿌린다.

잠시 후 식탁 위에는 갓 지은 밥과 아직도 보글보글 끓는 된장찌개, 계란말이, 그리고 고소한 시금치 무침이 차려진다. 아이는 연신 감탄사를 남발하며 아까 먹은 파스타보다 엄마가 차려준 밥이 훨씬 더 맛있다는 멘트를 날린다.

집이라는 공간이 아이들에게 언제고 그런 곳으로 기억되면 좋겠다. 좋은 사람들과 편한 자세로 웃으면서 수다 떨 수 있는 공간, 한 번 먹으면 질리고 마는 자극적인 외식 음식이 아니라 언제 먹어도 든든하고 맛있는 엄마의 집밥이 있는 곳, 세상에서 나를 가장 사랑해주는 어미 새가 있는 둥지, 그리고 나 자신을 온전히 맡기고 쉴 수 있는 세상에서 유일한 안식처. 집, 우리 집.

124

내 편이 아닌,
네 편에서의 사랑 방식

　내가 민트 초콜릿을 좋아한다고 해서 다른 사람도 나와 같을 거로 생각한다면 오산이다. 그 사람은 민트 냄새도 못 맡을 만큼 싫어할 수도 있으니까 말이다. 누군가에게 음식을 권하거나 선물을 할 때는 반드시 그 사람의 의사를 물어보아야 서로 간에 불편한 상황이 생기지 않는다. 사랑을 표현하는 방식에서도 마찬가지다. 엄마 편에서는 사랑의 표현이지만 아이들에겐 고통이 될 수도 있기 때문이다.

　수인이 담임선생님으로부터 수인이가 수학에 소질이 있다는 말을 들은 적이 있다. 그간 시험 점수도 좋았고, 결정적으로 선생님의 인정에 확신을 얻어 바로 다음 날 아이를 데리고 학원에 등록했다. 엄마라면 응당 그래야 한다고 생각했고 그게 사랑의 표현이라고 믿었다. 그러나 수인이 입장에서도 그랬던 거 같지는 않다. 아이가 학원을 모두 마치고 집에 돌아온 시각은 밤 10시였다. 수인이 나이 고작 10살 때였다.

수인이는 훗날 시간이 지나고 나서야 말하길 그때 엄마가 아주 미웠단다. 수학 학원에 억지로 다니던 그 시절 너무 힘들어서 죽고 싶은 생각까지 들었다고. 나는 최선이라 여겼던 사랑의 표현이 아이들에겐 독약이었다. 나의 이기적인 사랑은 내 기준에서만 사랑이었고 아이들에겐 짐이었다. 같은 실수를 반복하지 않기 위해 이제는 행동에 앞서 충분히 물어보고, 또 충분히 들어주려 한다. 그렇게 하는 것만으로도 아이들은 엄마의 사랑을 느낀다.

나는 아직도 엄마가 되어가는 과정 중에 있다. 엄마가 처음이라 여전히 부족하고 미숙한 부분들이 있지만, 하루하루 배워갈 수 있음에 감사하다.

너희 참 멋지다

첫째 수인이는 엄마가 일하는 모습을 보고 자라서인지 처음엔 배우가 되길 원했다. 당연히 처음에는 반대했다. 쉽지 않은 길인 걸 아니까 우리 딸은 고생 안했으면 싶었다. 그렇지만 계속 반대하면 나중에 엄마 때문에 못 했다고 원망할까 봐 일단 본인이 원하는 대로 하게 했다. 아이는 1년쯤 연기학원을 다녀보더니 결국 어려움을 토로했다. 생각만큼 쉬운 일도 결코 아니었고 경쟁도 매우 심한 영역임을 제대로 체감한 것이다. 한동안 다시 고민하더니 심리학은 어떤지 물었다. 연기를 배우다 보니 사람 심리를 잘 아는 것이 중요한 것 같은데, 지금은 제 심리 상태가 어떤지도 잘 모르겠다는 거였다.

진지하게 고민하는 딸아이의 모습이 한 편으론 대견하면서도, 아직 아기 티도 못 벗은 얼굴로 미간을 찌푸리고 있는 게 귀여워서 웃음이 나왔다. 아직은 많이 도전하고 많이 실패해도 괜찮은 나이니까 너무 심각하게 생각하지 말라며 나름의 격려를 하고 싶었지만, 그냥 입을 다물었다. 아이에게는 무엇보다도 중요하고 진지한 고민일 텐데 아무리 엄마라도 딸의 고민을 별거 아닌 듯 가볍게 얘기하면 안 되는 거였다.

"혹시 심리학을 공부하면 사람들의 성격이나 캐릭터를 이해하는 데 도움이 되지 않을까? 배우가 되는 일에도 도움이 될 거 같고."

"그럴까? 엄마도 한번 생각해볼게."

그렇게 아이는 몇 날 며칠을 심리학에 대해 찾아보더니 대뜸 일본에서 유학을 하겠다고 말했다. 아니, 심리학까지는 그렇다 쳐도 갑자기 웬 일본? 장난을 치는가 싶었다. 일본에 심리학으로 유명한 대학이 있다는 거였다. 게다가 친한 친구도 마침 요리 공부를 위해 유학을 하러 가는데 같이 가면 더 좋지 않겠냐고 했다. 일본 유학이 누구 집 개 이름도 아닌데, 잘 모르고 하는 말인 거 같아 이번에도 처음에는 반대했다. 그러나 아이는 끈질기게 나를 설득했고 본인이 세운 계획에 얼마나 확신이 있는지를 보여주었다. 결국 나는 유학을 허락했고 아이는 스스로 유명하다는 일본어 학원을 알아내어 수강 등록을 했다. 집에서 꽤 먼 거리였음에도 불구하고 아이는 열정을 불태우며 일본어 자격증을 공부했다. 시켜서 하는 일이 아니라 본인이 원해서 시작한 공부였기에 흥미도 있었을 것이고, 스스로 선택한 길이었기에 책임감도 느꼈을 것이다.

아이는 자격증을 따더니 일본에 있는 대학에도 합격해서 지금은 장학금을 받으며 심리학을 공부하고 있다. 엄마 품을 잠시라도 떠나면 자지러지게 울던 그 작은 아기가 언제 이렇게 다 커서 이제는 아예 다른 나라에서 혼자 씩씩하게 살고 있는지 참 대견하다.

우리는 거의 매일 영상통화를 하며 서로의 안부를 묻는다. 자주 통화하다 보니 대화 주제가 특별하진 않다. 뭐 먹었는지 오늘은 무슨 수업 들었는지 하는 그런 얘기들이다. 아이는 가끔 고민을 털어놓기도 하는데,

129

최근까지도 계속 진로를 고민 중이란다. 심리학 공부가 재밌긴 하지만 심리학과 관련해서 어떤 직업을 가져야 할지 아직 모르겠다는 거였다. 깊이 고민하고 탐구하는 모습을 보며 아이가 내 생각보다 더 깊은 사람임을 새삼 느낀다. 나는 딸이 편하게 얘기할 수 있도록 찬찬히 듣고 조심스럽게 내 의견을 말한다. 내 의견은 의견일 뿐 정답이 아님을 딸도 알고 있다.

"수인아. 엄마는 굳이 네가 전공을 살리지 않아도 된다고 생각해. 하지만 네가 들인 노력을 생각했을 때 아쉬움이 남는다면 소통이 어려운 아이들을 도와줄 수 있는 사람이 돼보는 건 어때? 너도 한창 힘들 때 상담사 선생님에게 위로받았던 때가 있었잖아. 누군가에게 도움이 되고, 마음을 치유해줄 수 있는 그런 일 말이야."

"알겠어, 엄마. 근데 그러려면 대학원도 가야하고……."

"졸업해서 당장 진로를 결정해야 하는 건 아니니까. 부담 갖지 말고 천천히 생각해봐."

둘째 딸 세정이 역시 앞으로 무엇을 해야 할지 잘

모르겠단다. 자기 진로는 알아서 정해야 한다고 누누이 말해왔기 때문일까. 아이들은 누군가 알아서 해 줄 거라 기대하며 마냥 기다리지 않았다. 대신 적극적으로 고민하며 관련된 정보들을 열심히 찾아보았다. 나는 조력자 역할은 자처하지만 내 맘대로 아이의 미래를 결정하고 싶진 않았다. 혹시나 엄마의 말 한마디가 아이의 가능성을 좁히게 될까 봐 한 마디 한 마디가 조심스러웠다. 문득 중학생 때 학교에서 댄스부로 활동하면서 열심히 춤을 추던 세정이의 모습이 떠올랐다.

"세정아, 엄마가 보니까 너 춤추는 거 되게 좋아하는 거 같던데?"
"내가? 엄마 눈에도 그래 보였어?"
"응. 잘 추기도 하고 열심히 하기도하고. 춤출 때 네가 참 행복해 보이더라고."

세정이는 한동안 혼자 고심하더니 며칠 뒤 나에게 와서 춤을 계속 추고 싶다고 말했다. 나는 엄마로서 할 수 있는 만큼 지원해 줄 테니 대신 학원이나 필요한 것들은 스스로 알아봐야 한다고 말했다. 아이는 다니고 싫어 하던 댄스 학원을 지금 매일같이 다니면서 댄서의 길을 준비하고 있다. 가끔 춤 동영상을 보내주기도 하는데 뻣뻣함의 극치인 엄마한테서 어떻게 이렇게 재주 있는 딸이 태어났는지 연신 감탄하곤 한다. 지금도 연습실에서 땀을 흘리며 자신만의 춤을 추고 있을 세정이에게, 너는 그 자체만으로 참 대단하고 멋지다고 말해주고 싶다.

타국에 딸을 보낸
엄마의 마음이란

　수인이를 일본에 보내던 그 날의 기억이 유난히 선명하다. 첫 이별이라 그랬을까. 구름 한 점 없는 맑은 하늘은 눈이 시릴 정도로 파랬고 추운 겨울 공기에 코끝이 찡했다. 나는 수인이를 따라 2박 3일간 일본에 머물렀다. 우리는 도착하자마자 짐을 풀고 앞으로 필요한 물건들을 사러 쇼핑센터로 향했다. 이렇게 둘이 팔짱을 끼고 쇼핑할 일이 한동안 없을 거로 생각하니 일분일초가 소중했다. 우리는 여느 때처럼 쉴 새 없이 수다 떨며 데이트 아닌 데이트를 즐겼다. 숙소에 돌아와서도 밤이 깊어가는 게 아쉬워 졸린 눈을 억지로 부릅떠가며 이런 저런 이야기를 나누었다.

2분 같은 이틀이 지나고 이별의 순간이 찾아왔다. 인사는 최대한 짧고 덤덤하게 했다. 물기 어린 말을 한 마디라도 더 했다간 울음이 터져 나올 거 같았기 때문이다. 나는 방학 때 보자는 약속을 마지막으로 공항버스에 올랐다. 차창을 향해 손을 흔들던 수인이는 갑자기 얼굴을 가리고 휙 돌아섰다. 결국 눈물이 터져 나온 모양이었다. 잘 해낼 수 있을 거라고 어깨를 토닥이며 안아주고 싶었지만 우리는 이미 꽤 멀어져 있었다.

공항에 도착해 수속을 마쳤다. 벤치에 홀로 앉아 비행기를 기다리면서 핸드폰 속 아이 사진을 끊임없이 넘겨봤다. 내 아이가 언제 이렇게도 잘 컸을까 싶은 기특한 마음과 언제 이렇게 커버렸나 싶은 아쉬운 마음 그 중간에서 왠지 모를 허전함이 몰려왔다. 공항에 앉아 얼마나 울었던지, 그 순간 내 곁을 지나가던 탑승객들은 아마 나를 무슨 큰일이라도 난 사람처럼 이상하게 쳐다봤을 거다.

비행기는 무사히 한국에 도착했고 날씨는 무심히도 화창했다. 여행 가방에서 짐을 꺼내 정리하면서, 비어 있는 큰아이의 침대를 보면서, 또다시 감정이 울렁였다. 거실에서 작은아이의 기척이 들려서 서둘러 감정을 추슬렀다. 짐 정리를 마치고 거실에 나와 보니 세정이는 아이돌 무대 영상에서 눈을 떼지 못하고 있었다. 난 왜 그 평범하고 전혀 이상할 것 없는 장면에서 또 눈물이 차올랐을까.

그날 밤, 침대에 누운 지 한 시간도 넘게 지났지만 잠은 쉽게 오지 않았다. 조그만 발바닥으로 간신히 땅을 짚고 한두 발짝 걷는 것조차 대견했던 아이들이 어느새 자신의 길을 찾아 나아가고 있음을 생각하니 그제야 비로소 시간의 속도감이 느껴졌다. 이제 막 세상에 눈을 뜬 아이를 품에 안고 더 넓은 세상을 경험 시켜주겠다고 다짐했던 게 엊그제 같은데, 아이들은 어느새 엄마보다 훌쩍 커서 더 넓은 세상을 향해 각자의 길을 개척해가고 있다.

소소하지만 확실한 행복

평소와 다를 것 없는 어느 휴일 오후였다. 나는 여느 때처럼 주방에서 아이들 저녁을 준비하고 있고 아이들은 코미디 프로를 보면서 까르르 웃고 있었다. 그날의 메뉴는 된장찌개에 계란말이였다. 아이들 웃음소리를 들으면서 된장찌개가 끓어 넘치지 않게 쳐다보고 있는 그 순간, 벅차오르는 행복함에 눈물이 났다. 말로 표현 못 할 어떤 뜨거운 기운이 손끝과 발끝으로 퍼져 나가는 기분이었다. 우리 아이들이 아무 걱정 없이 웃으면서 TV를 보고 있고, 나는 그런 아이들을 위해 맛있는 음식을 준비하고 있는 그 평범한 장면을 아직도 잊을 수가 없다. 로또에 당첨된 것도 아니고 갑자기 삶의 모든 문제가 말끔히 해결된 것도 아닌데, 행복의 파도는 어디서부터 밀려온 걸까. 기꺼이 잠겨 죽어도 좋을 만한 파도였다.

스케줄이 없는 주말이면 알람을 끄고 세정이와 함께 늦잠을 늘어지게 잔다. 고요하고 포근한 공기가 기분 좋게 방안을 채운다. 주말의 평화로움을 만끽하고 싶어 잠을 좀 더 청해 본다. 시간 가는 줄 모르고 평일에 모자랐던 잠을 보충하고 나면 벌써 점심시간이다. 요새는 인터넷에 검색 한 방이면 간단하고 맛있는 레시피가 쏟아지니 참 편한 세상이다. 냉장고에 있는 재료들로 간단하지만 맛있는 한 끼를 뚝딱 만들어 먹으니 딱 기분 좋게 배부르다. 후식은 직접 내린 핸드드립 커피에 얼마 전 근처 카페에서 사 온 수제 쿠키다. 진한 커피 향이 집안을 가득 채우면 이것이 진정 주말의 냄새구나 싶다. 좋다. 소소하지만 확실한 행복이다.

커피를 몇 모금 마시다 보니 핸드폰이 울린다. 일본에 있는 큰딸에게서 온 전화다. 거의 매일 영상 통화를 하는 탓에 대화도 특별할 것 없는 시시콜콜한 얘기들로 채워지지만, 하루라도 빼 먹으면 섭섭하다. 수인이는 집을 떠나고 오히려 더 잘 챙겨 먹는다. 집에서는 요리라곤 안 했는데 지금은 여러 나라에서 온 친구들과 이 나라 음식 저 나라 음식 직접 해 먹어보는 재미에 빠졌다. 오늘도 신나서 친구들과 중국 음식을 해 먹었다며 이따가 사진을 보내준단다. 어제까지 분명 다이어트한다고 했었는데 말이다. 어쨌든 엄마 입장에서는 타국에서 밥 잘 챙겨 먹는 것만 봐도 안심이 된다. 필요한 건 없냐는 내 말에 없다며 되레 엄마와 동생의 안부를 묻는 수인이가 새삼 대견하고 다 컸다 싶다.

"엄마, 친구들이 그러는데 나보고 진짜 대단하대."
"왜?"
"일본에서 공부하고 싶다고 해서 실제로 일본에 있는 대학 시험을 보고 합격까지 해서 공부하고 있는 게 대단하대. 내 생각에 그 추진력은 엄마를 닮은 거 같아."
"엄마가? 엄마가 그래? 엄마는 맨날 생각만 하고 추진은 못 하는 거 같은데……."
"아니야. 엄마 되게 추진력 있고 밑도 끝도 없이 몰아붙이는 거 있어."

옆에서 듣고 있던 세정이까지 손뼉을 치며 언니의

말을 거든다. 꽤 진지한 내 표정이 재밌는 듯 까르르 웃으면서. 엄마를 닮았다는 그 말을 내심 좋아하는 것 같아 감사했다. 나는 그렇지 않았다. 어렸을 땐 엄마의 약한 모습을 닮지 않는 것이 중대한 목표였다. 나를 사랑하는 그 마음은 알겠지만 그걸 충분히 표현할만한 여력이 없었던 약한 엄마가 싫었다. 그래서 나는 엄마보다 강해질 거라고, 약한 모습은 닮지 않겠다고 다짐하고 또 노력했다. 그 노력의 결과가 어떤지는 잘 모르겠다. 엄마보다 나은 모습도 있을 것이고 엄마를 닮은 모습도 분명 있을 것이다. 엄마 딸인데, 어디 가겠는가.

내가 우리 두 딸에게 기억되고 싶은 한 가지 모습은 늘 기도하는 엄마이다. 백 마디 말보다 한 번의 기도가 낫다는 것을 경험을 통해 알게 되었기 때문이다. 많은 말을 하기보다는 많은 기도로서 아이들을 지지하고 응원하고 싶다. 다른 건 몰라도 이 한 가지 모습만은 아이들의 기억 속에 늘 머물기를 소망한다.

너의 뒤에서

나는 우리 엄마에게 힘들다는 말을 한 적이 거의 없다. 어렸을 땐 나보다 엄마가 더 힘들어하셨기 때문에 쉽게 투정 부릴 수 없었다. 매일 아빠와의 전쟁이 끝난 뒤 당신 몸 하나 추스르기에도 바쁘셔서 자식들의 고민거리를 들어줄 여유가 없으셨다. 털어놓고 싶은 고민거리가 목구멍까지 올라와도 힘들어하는 엄마의 모습을 볼 때면 다시 억지로 삼켜야만 했다. 모든 결정은 온전히 나 혼자만의 몫이었다. 누군가에게 고민을 털어놓고 진심 어린 조언을 들을 수 있었다면, 그랬다면 내 선택이 얼마나 달라졌을까? 아무에게도 말하지 못한 채 혼자 고민하고 혼자 짊어져야 했던 과거의 현정이가 안쓰럽다.

그래서 나는 우리 두 딸은 뭐가 됐든, 실없는 소리라도 엄마에게 꼭 얘기해 주었으면 한다. 엄마한테 혼날까 봐, 엄마가 실망할까 봐서 숨기지 말았으면 한다. 그래야 도움이 필요할 때 도와줄 수 있고 기도해줄 수 있으니까.

아이들을 대신해서 뭐든 다 해 주겠다는 소리는 아니다. 진로는 스스로 선택하고 찾아가야 한다고 아이들에게도 누누이 얘기한다. 단지 그 과정에서 조력자 역할에 최선을 다하고 싶은 것이다. 큰딸 수인이가 일본으로 유학 가고 싶다고 했을 때도 일본어 학원 등 필요한 것은 스스로 알아보게 했고 둘째 세정이가 춤을 본격적으로 배우고 싶다고 했을 때도 알아서 찾아보고 준비하게 했다. 아이들은 본인들이 선택한 길에 대한 책임감과 원하는 걸 배우는 즐거움 덕분에 누구보다 열정적으로 임하고 있다.

하지만 나도 엄마가 처음이라 내가 과연 엄마의 역할을 잘하고 있는 건지 걱정이 될 때가 있다. 며칠 전에 세정이와 외식을 하면서 이런 얘기를 나눴다.

"세정아, 혹시 엄마가 너희에게 무관심하다고

느끼진 않니? 너네 알아서 하라고만 하고
공부하라고 재촉하지도 않잖아."
"별로 안 그런데?
엄마는 항상 믿어주고 지지해 주잖아."
"그렇다면 다행이고.
혹시라도 엄마가 더 관심 가지고
적극적으로 해줬어야 했나,
그런 아쉬운 생각이 들어서."
"아니야 엄마. 지금이 딱 좋아."
"그래. 엄마도 엄마의 길을 스스로 찾았기 때문에
너희도 너희가 좋아하는 길을 스스로 찾으면 좋겠다는
생각에 그런 식으로 한 거였어. 혹시나 엄마 도움이 필
요하면 언제든 꼭 얘기하고."

수인이 하고는 거의 매일 영상 통화를 하는데, 유학
생활하면서 힘든 점이나 고민거리를 종종 털어놓는다.
나는 그렇게 말해주는 게 고맙기만 한데 수인이는 힘든
소리만 하는 게 마음에 걸리는지 다음날 곧바로 사과하
곤 한다.

"엄마, 미안해. 투정만 부리고
나 힘든 것만 얘기해서."
"아니야. 그럼 엄마한테 투정 부리지
누구한테 부려."
"맨날 안 좋은 얘기만 하니까
엄마 힘들 거 같아서 그러지."
"하나도 안 힘들어. 얘기해줘서 고맙지."
"힝."
"얘기해줘야 엄마가 널 위해 기도할 수 있잖아. 그리고 엄마 말고도 널 위해서 기도해 주시는 분들이 많다는 거 잊지 말고."

그런 엄마가 되고 싶다. 앞장서서 내 입맛대로 아이들의 앞길을 만들어주는 것이 아닌, 아이들이 제 길을 찾아갈 때 뒤에서 믿고 기다려주는 엄마. 아이들이 고민을 이야기할 때 당장에 해결해 줄 순 없을지라도 같이 욕해주고 편들어주는 엄마. 아이들이 열심히 달리다가 지쳐 잠시 뒤를 돌아봤을 때도 늘 그 자리에서 묵묵히 아이들을 응원하며 기도하는 그런 엄마가 되고 싶다.

말해줘서 고마워

언제부터 우리는 표현하는 걸 부끄럽고 쑥스러운 일이라고 여기게 되었을까. 요새 어린 친구들을 보면 솔직하게 표현하는 것에 대한 거부감이 매우 크다는 생각이 든다. 내 생각을 자세히 설명하는 것은 구질구질한 거고 내 감정을 오롯이 내어 보이는 것은 쿨하지 않다는 분위기다. 내 진심은 이렇고 나는 이렇게 생각하는데, 그렇게 말하면 소위 '진지충'이라는 말로 진부한 사람 취급을 한다. 아이들은 쿨한 사람으로 보이기 위해 진지한 생각과 솔직한 감정들을 억지로 집어삼킨다. 그리고 그렇게 집어 삼켜진 것들은 안에서 곪아 상처가 된다. 전혀 건강하지도 않고 자연스럽지도 않다. 자기 자신을 속여 가면서

까지 쿨한 사람이 될 필요가 있을까.

표현은 곧 치유다. 나 역시 겉으로 표현하지 못하고 괜찮은 척, 혼자서 끙끙 앓느라 속 버렸던 때가 있다. 그 세월을 건너와 보니 나만 손해였다. 이제 더는 나 자신에게 상처를 주지 않으려 한다. 슬플 땐 펑펑 울고, 힘들 땐 누구에게든 하소연도 하고, 기쁘면 얼싸안고 춤도 추면서 내가 느끼는 모든 감정과 기분들을 건강하게 표현하며 살고 싶다. 그것이 가장 자연스럽고도 효과적으로 자신을 돌보는 방법이다.

수인이는 비교적 제 감정을 자연스럽게 표현할 줄 안다. 맛있는 음식을 먹으면 맛있다고, 드라마에서 감동적인 장면을 볼 때면 슬프다고, 힘들면 힘들다고, 화가 날 땐 견딜 수 없이 화가 난다고 표현하는 데 어려움이 없다. 그에 반해 세정이는 속상하거나 억울한 일에도 좀처럼 감정을 터놓지 않고 참는다. 엄마인 나는 두 딸아이를 키우며 세정이의 마음을 더 자세히 들여다보고 보듬어주려 노력한다. 둘째 아이를 보면 큰 감정 기복 없이 스스로 통제를 잘한다고 착각하기 쉽다. 그러나 표정이든 말이든 표현하지 않는다는 말은 곧 감정이 분출되지 못한 채 어딘가에 꾹꾹 눌러 담아져 있다는 뜻이다. 세정이가 자기 마음을 온전히 표현하도록 들어주고, 아직은 서툰 표현이 자연스러워지도록 감정을 끄집어내 주는 것이 내가 딸아이에게 해줄 수 있는 일이다.

집에 돌아와 샤워를 마치고 거실에 앉아 있는 세정이에게 묻는다.

"힘든 건 없었어?"
"아, 괜찮아."

아이는 텔레비전에 시선을 고정한 채 무미건조한 대답을 한다. 그런 아이의 마음을 몇 번이고 두드려본다. 사소한 일 하나까지 물어가며 세정이의 오늘 하루를 함께 걸어본다. 세정이는 귀찮아하면서도 엄마의 질문에 하나하나 답을 해준다. 조금 뒤 TV 프로에서 눈길을 떨군 세정이는 무엇을 망설이는지 아랫입술을 가볍게 한 번 깨문 뒤 입을 연다.

"사실, 오늘 좀 짜증 났어."

아이는 조곤조곤 이유를 설명해준다. 나는 그렇게
아이와 한편이 되어 욕도 해주고 힘들었을 그 마음도
토닥여준다. 나는 우리 아이들이 감정이 풍부하고 알맞
게 표현할 줄 아는, 내면이 건강한 사람으로 자라길 소
망한다.

엄마가 처음이잖아요

일을 마치고 집에 오니 거실 불이 켜져 있다. 세정이가 춤 연습을 끝내고 먼저 집에 와 있는 모양이다. 아마도 자기 방에 있을 아이를 향해 엄마 왔다고 기척을 내어 보지만 대답은 돌아오지 않았다. 하루 끝에 지친 나는 일단 씻으려고 욕실로 향했다.

샤워를 마치고 안방으로 들어가려는데 거실에서 TV를 보는 세정이의 모습이 보였다. 강아지가 놀아달라고 보채는데도 아이는 꿈쩍도 하지 않는다. 이상한 일이다. 평소 같으면 강아지랑 같이 까르르거리며 노느라 정신없었을 텐데 오늘은 어째 입을 꾹 다물고 시선을 TV에만 고정하고 있다. 나는 세정이 옆에 앉아서 오늘 무슨 일 있었냐고 물어봤다. 별일 없었다며 방으로 들어가려고 하는 아이를 붙잡아 보지만 쉽게 입을 열지 않는다. 머뭇거리는 그 모습을 보니 왠지 이유를 알 듯했다. 혹시 나 때문인가? 바쁘다는 핑계로 아이에게 신경 써주지 못했는데 그게 아이를 또 서운하게 한 모양이었다.

"엄마, 나 집에 오기 싫어. 와도 아무도 없고 혼자 밥 먹어야 하잖아. 혼자 밥 먹는 거 진짜 싫어."

그간 섭섭한 마음이 쌓였는지 아이는 결국 북받친 감정을 눈물로 터트렸다. 고민이 많은데 엄마한테는 말을 못 하겠고 상담이라도 받고 싶단다. 나는 쉽사리 대답하지 못했다. 아이의 흐느낌만이 집 안을 채웠고 나는 말 없이 아이의 등을 쓸어내렸다.

며칠 뒤, 세정이 말대로 도움을 받고자 상담센터를 찾았다. 세정이가 먼저 30분간 상담을 받았고 그다음이 엄마 차례였다. 상담 선생님은 세정이가 지극히 정상이라고 했다. 그 또래에 진로에 대한 고민은 충분히

할 수 있고 성숙한 아이기 때문에 미래도 걱정하는 거라고. 그런데 문제는 세정이가 그런 얘기를 엄마에게 꺼내기 힘들어한다는 거였다. 대체 나의 무엇이 아이의 입을 다물게 만든 건지 감이 안 잡혔다. 잘못은 인정하지만, 이유를 알아야 고쳐나갈 수 있을 터였다. 선생님은 평소에 보통 어떤 식으로 아이를 위로하냐고 물어보셨다. 아이가 나에게 고민을 털어놓을 때면 나름대로 위로의 두 단계를 거치는데 첫 번째는 이야기를 끝까지 들어주는 것이고 두 번째는 위로의 말을 건네는 것이다. 문제는 두 번째 단계였다.

"세정아. 그래, 많이 힘들지? 그런데 너만 그렇게 생각하는 거 아니야. 다들 그런 고민 많이 가지고 있어."

상담 선생님은 바로 이 부분을 지적하셨다. 많은 사람이 비슷한 고민을 안고 살아간다며 아이의 고민 무게를 좀 덜어주려고 했던 내 의도와는 달리 아이가 느끼기엔 자신의 고민이 별거 아닌 것처럼 받아들여졌다고 생각할 수 있다는 거였다. 나는 그저 아이를 안심시켜주려고 한 말이었는데 그런 내 의도가 부정당한 것 같아 서러운 마음에 왈칵 눈물을 쏟았다.

"엄마 마음은 충분히 알죠. 그런데 아이에게는 그렇게 들리지 않을 수 있어요. 아이는 그저 자신의 감정을 알아줬으면 하는 거예요. 그냥 들어주기만 하세요. 도와주고 해결해주고 싶은 마음이 굴뚝같은 건 알지만, 아이들이 원하는 건 그게 아니에요. 자기 문제는 자신이 해결할 수 있게 놔두고 그저 아이의 마음을 들여다봐주세요. 그리고 예민할 때 아이가 내뱉는 말에 일일이 상처받고 낙심하지 않아도 돼요. 현정 씨가 뭘 잘못한 게 아니니까 자책할 필요 없어요. 서툴고 실수하는 게 당연해요. 현정 씨도 엄마가 처음이잖아요."

엄마가 처음이니 서툴 수 있다는 전문가의 말은 나를 그나마 진정시켰다. 서툰 것을 인정하고 더 나은 엄마가 되어 가는 과정이니 실패를 통해 배우자고 자신을 다독였다. 문득 우리 엄마 생각이 났다. 나의 엄마도 엄마가 처음이었겠구나. 그래서 그렇게 서툴렀던 거구나. 그리도 원망했던 엄마의 서툰 모습들이 이제야 조금씩 이해가 되었다.

상담센터에서 나와 집으로 돌아가는 차 안에서 세정이는 말없이 가만히 앉아 지나가는 창밖 풍경을 바라보았다. 그런 딸아이를 보며 차마 입 밖으로 꺼내지 못한 말을 속으로 되뇐다.

'미안해. 엄마도 엄마가 처음이라 아직 서툴러. 그렇지만 노력할게. 우리 딸 사랑해.'

우리 엄마
할머니가 다 되었네

진액이 다 빠져버린 고목 같았다. 나이가 들면 부모님의 벗은 몸을 보는 게 흔한 일은 아니다. 엄마는 최근 골반을 수술하시면서 거동이 불편해지셨다. 한 달간 병원에 입원하신 뒤에도 계속 재활 치료가 필요했기 때문에 3주간 우리 집에 계시기로 했다. 한동안은 혼자 씻으실 수도 없어서 내가 대신 씻겨 드려야 했다.

세월이 많이 흐른 뒤 마주하게 된 엄마의 벗은 몸은 씻겨드리는 게 죄송할 정도로 작아져 있었다. 몸 구석구석을 씻기려고 팔다리를 드는데 새털같이 가벼워 왈칵 눈물이 났다. 나 사느라 바빠서, 내 새끼 챙기느라

정신없어서, 우리 엄마가 이렇게 나이 드시는지도 몰랐
구나. 참 예쁘단 소리 많이 들으셨는데. 보기 좋은 아담
한 몸매에 고운 피부, 선한 눈매가 어린 내 눈에도 예뻤
던 기억이 난다. 영원히 예쁜 아줌마의 모습으로 내 곁
에 계실 것만 같았는데 언제 이렇게 늙으신 걸까? 할머
니가 다 되었네, 우리 엄마. 야속한 세월만 탓해본다.
그 모습을 보고 있자니 엄마가 왜 오빠네로 안 가려고
하셨는지 이유를 알 것 같았다. 당신의 힘 없고 아픈 몸
을 아들이나 며느리에게 맡기고 싶지 않으셨던 거다.
그나마 딸인 내가 조금은 더 편하셨겠지.

　"엄마, 왜 이렇게 말랐어."
　"요새 통 입맛도 없고 먹는 것도 귀찮다."
　"그래도 잘 먹어야 빨리 낫지."
　"혼자 있으니까 잘 안 먹게 되네."

　작고 작은 엄마의 뒷모습이 잔상처럼 눈에 자꾸만
아른거린다. 사람은 망각의 동물이고 늘 똑같은 실수를
반복한다고 했던가. 같이 있을 땐 엄마의 잔소리가 그
렇게 듣기 싫었는데 막상 당신 집으로 가시고 나니 조

금만 더 참고 잘해드릴 걸 하는 후회가 남는다. 엄마와 언제 또 이런 시간을 보낼 수 있을까. 앞으로 언제 또 엄마의 몸을 내가 손수 씻겨드릴 수 있을까. 스무 살에 독립한 이후 처음으로 3주라는 시간을 엄마와 함께 보냈다. 마치 한 몸처럼 같이 붙어 지내면서 엄마는 나를 조금 더 알게 되고 나는 엄마를 조금 더 이해하게 되었다. 물론 우리는 여전히 싸우기도 하고 싫은 소리 못 들어주겠다며 귀를 틀어막겠지만, 그런 순간마저도 그리워질 때가 곧 찾아올 것이다.

한창 꽃다운 나이에 과부가 되어 혼자서 삼 남매를 키우느라 포기하셔야만 했을 많은 것들을 생각해 보니, 그렇게 듣기 싫었던 엄마의 신세 한탄도 이해가 되었다. 나라도 그랬을 것이다. 평생을 그렇게 예쁘고 고운 분이 몸 고생 마음고생 하면서 하고 싶은 거 제대로 해보지도 못했는데 이제는 몸까지 아프니 누구라도 원망하고 싶으셨을 것이다.

위로가 필요할 때 엄마는 누구에게 위로를 받을까. 괜히 투정 부리고 싶을 때 엄마는 누구에게 투정 부릴까. 힘들고 지쳐 누군가에 기대어 쉬고 싶을 때 엄마는 누구를 떠올릴까. 우리 엄마는 그런 게 필요 없는 줄로만 알았다. 엄마니까 다 괜찮을 거로 생각했다. 전혀 그렇지 않다는 걸, 엄마도 약하고, 엄마도 여자라는 것을 내가 엄마의 나이가 되어보니 비로소 알게 되었다.

갑자기 할머니가 되어버린 엄마의 앙상한 몸을 마주한 후로는 시간이 정말 얼마 남지 않은 거 같아 마음이 조급하면서도 슬퍼졌다. 이제야 조금 알 거 같은데, 그리도 원망했던 엄마의 말과 행동들을 이제야 조금씩 이해할 거 같은데 곧 떠나버리실 것만 같아 불안하다. 시간을 붙잡아 엄마와 조금이라도 더 시간을 같이 보내고 싶다. 물론 우리는 여전히 싸우고 잔소리도 하겠지만 그런 순간마저도 훗날엔 결코 잊고 싶지 않은 추억이 될 것이다.

좋을 일도
나쁠 일도 없다

　어렸을 때부터 나는 사람들의 인정과 칭찬을 먹고
쑥쑥 자랐다. 집 안은 바람 잘 날 없어 안식할 수 없었
지만, 밖에선 착하고 성실해서 예쁘다는 소릴 늘 들었
다. 성적도 상위권인 데다 성격도 모나지 않아 선생님
들이나 친구들이나 다 나를 좋아했다. 사람들의 눈에
내가 반듯한 사람으로 비친다는 사실이 한 면으론 만족
스러웠고 또 한 면으론 내가 열심히 한 당연한 결과라
고도 생각했다. 앞으로도 이렇게 열심히만 하면 계속
인정받고 사랑받는 인생을 살 수 있을 거라 굳게 믿었
다. 배우로서 성공한 삶, 그리고 꿈에서도 그려왔던 완

벽하게 행복한 가정. 그저 내 역할에만 충실하면 자연스럽게 따라올 결과라고 생각했다.

인생이 계획대로만 되지 않는다는 너무도 당연한 사실을, 나는 아픔을 통해서야 비로소 깨닫게 되었다. 내가 짜 놓은 인생 계획표에 이혼이라는 항목은 없었기에 나는 어떻게든 이 결혼을 유지해보려 했다. 그러나 세상에는 내가 아무리 열심히 노력해도 안 되는 일이 있었다. 그게 나에게는 결혼 생활이었다. 걸어도, 걸어도 끝이 보이지 않는 깜깜하고 긴 터널 속에서 나는 결국 지쳐 쓰러졌고 그렇게 이혼을 결정하게 되었다.

터널 밖을 나와 보니 온몸은 상처투성이였다. 그동안 괜찮은 척, 잘 사는 척하느라 무시하고 덮어뒀던 상처들이 곪아 터져 벌건 속살을 드러내고 있었다. 사실 나 괜찮지 않다고, 그 상처를 인정하는 것부터가 치료의 시작이었다. 그러자 하나님 말씀이 햇빛처럼 상처를 비춰 소독해 주었고 주변의 돕는 손길들이 나를 부축해 바로 서게 했다. 아픔을 주는 모래알을 싸매고 싸매 아름다운 진주를 탄생시키는 조개처럼 나 역시 상처를 싸매는 과정에서 진주만큼 귀한 인생의 교훈을 얻게 되었다. 그것은 그렇게 좋을 일도, 그렇게 나쁠 일도 없다는 것이다. 좋았다면 추억이고 나빴다면 경험이다. 직접 겪지 않았다면 그저 남의 이야기로만 여겼을 이 단순한 문장이 이혼이라는 상실의 경험을 통해 나에게로 왔고, 인생의 다음 단계로 올라갈 수 있도록 하는 발판이 되어 주었다. 나는 많은 것을 잃었지만 또한 많은 것을 얻었다.

요새도 가끔 꿈이 뭐냐는 질문을 받는다. 그러면 나는 길게 고민하지 않고 답한다. 꿈이나 계획 같은 건 없다고. 다소 냉소적인 내 대답에 질문을 던진 사람이 당황한 기색을 보이면 나는 서둘러 설명을 덧붙인다.

"그냥 지금, 이 순간 최선을 다해 살아가는 거죠. 계획대로만 되는 인생이 어디 있겠어요. 성공은 성공이니까 좋고, 실패는 실패를 통해 배울 수 있고 배운 것을 토대로 다음번에 더 나은 결과를 낼 수 있으니까 그것도 나쁘지 않다고 봐요. 어차피 인생은 마음먹은 대로 되는 게 결코 아니니까요. 그러니까 계획이란 것에 얽매여 나 자신을 괴롭게 하고 싶지 않아요. 대신 어떤 결과가 있든 받아들일 수 있도록 주어진 역할에 최선을 다해야겠죠. 오늘 하루도 감사하며 잘살아 봐요, 우리."

엄마, 배우, 현정

초판 발행일 2021년 4월 12일

지은이   박현정
엮은이   장주희

펴낸이   이민섭
펴낸곳   뭉클스토리
주소   서울 영등포구 선유로27 1212호
연락처   02-2039-6530
이메일   mooncle@moonclestory.com
홈페이지   www.moonclestory.com

편집   정대영
디자인   김수현
표지 및
일러스트   인소정

ISBN 979-11-88969-27-2